明清徽皖篆刻简论

MINGQING HUIWAN ZHUANKE JIANLUN

阮良之 著

安徽大学出版社
ANHUI UNIVERSITY PRESS

图书在版编目(CIP)数据

明清徽皖篆刻简论/阮良之著.—合肥:安徽大学出版社,2009.11
ISBN 978-7-81110-704-3

Ⅰ.明... Ⅱ.阮... Ⅲ.篆刻—美术史—安徽—明清时代
Ⅳ.J292.4—092

中国版本图书馆CIP数据核字(2009)第205116号

明清徽皖篆刻简论 阮良之 著

出版发行	安徽大学出版社(合肥市肥西路3号 邮编230039)
联系电话	编辑部 0551-5108348 发行部 0551-5107784
电子信箱	ahdxchps@mail.hf.ah.cn
网　　址	www.ahupress.com.cn
书　　号	ISBN 978-7-81110-704-3
经　　销	全国新华书店
印　　刷	合肥现代印务有限公司
开　　本	710×1000 1/16
印　　张	12.5
字　　数	190千
责任编辑	谈　菁
封面设计	闻　静
定　　价	28.00元
版　　次	2009年11月第1版
印　　次	2009年11月第1次印刷

如有影响阅读的印装质量问题,请与出版社发行部联系调换

序

□ 吴春梅

阮良之先生的著作《明清徽皖篆刻简论》(以下简称《简论》)与广大读者见面了,谨向他表示衷心的祝贺!读阮先生的大著,可清晰地看到他在史论、艺论、艺理方面探究新意的历程。

论及徽皖篆刻史,阮先生对明清徽皖籍六大家所创六大流派称谓的再探讨以及对流派篆刻家的重新梳理,对地域文化尤其是徽文化对篆刻艺术影响的研究,如此等等,是《简论》的“史论新意”所在。

在篆刻艺术本体研究方面,如对邓石如与黄士陵印艺历程的比较研究、朱简篆法之源与印艺之憾、铭文风格随青铜器造型的演变、隶意与篆刻艺术的紧密关联,如此等等,是《简论》的“艺论新意”所在。

作为一个书法家、篆刻家,阮先生根据自己多年的实践与思考,注重古为今用,提出“技术→艺术→学术”以及与之相应的“作品→精品→经典”的“三层次论”;主张艺术家应以学术之“新”铸艺术之“独”;强调艺术之大道在“正变”,正变之源为“博”与“厚”,正变之果为“经典”,如此等等,是《简论》的“艺理新意”所在。

三十年前,阮先生起步自学,故土铜文化的深邃底蕴与“社会大学”的艰辛不易,铸就了他愈挫愈奋的情性。早在十年前,他即出版《阮良之印选》并获得一级美术师职称,然他并

未停步，又走上了书法篆刻艺术研究之路，并以明清徽皖篆刻艺术作为研究重点。《简论》即是阮先生多年学术研究的心血之作，既有传承，也有创新，是一部很有特色的篆刻理论著作。

古语云：心有多宽，路有多宽！愿阮良之先生艺术之树常青！

2009 年 11 月 · 合肥

目录

序(吴春梅) ························ 1

第一章　明清印坛徽皖籍六大家及所创六大流派 ············ 1

第一节　明清徽皖印学成果与六大流派 ···················· 1

一、丰硕的印学成果与六大流派的形成 ················ 1

二、六大流派称谓再探 ···························· 4

第二节　地域文化对篆刻艺术的影响 ···················· 8

一、辉煌的地域文化滋养篆刻艺术的发展 ·············· 8

二、徽皖文书档案与书画艺术对篆刻“篆法”的影响 ······ 12

三、徽州雕刻工艺对篆刻“刀法”的影响 ················ 13

四、徽州诸艺术对篆刻“章法”的影响 ·················· 15

五、徽皖文化理念对篆刻家价值观的影响 ·············· 16

六、社会诸因素的影响 ···························· 17

第三节　六大流派的印风特色 ························ 20

一、何震及“雪渔派”:端古雅健 ······················ 20

二、苏宣及“泗水派”:阔博厚醇 ······················ 28

三、汪关及“娄东派”:俊爽典雅 ······················ 31

四、程邃及“歙派”:古穆苍凝 ························ 34

五、邓石如及“邓(皖)派”:刚健婀娜 ·················· 39

六、黄士陵及“黟山(粤)派”:光洁峻挺 ················ 45

第四节　六大流派比较研究 …………………………………… 50

一、六大流派之间的印艺关联 ……………………………… 50

二、六大流派的共性与启示 ………………………………… 53

第二章　朱简:理论与实践同进共新 ……………………… 63

第一节　师承之源 ………………………………………… 64

一、家学渊源 ……………………………………………… 64

二、从陈继儒游学 ………………………………………… 64

三、直溯印章源头 ………………………………………… 65

第二节　精识之新 ………………………………………… 67

一、对先秦古玺印的断代独有创见 ………………………… 67

二、最早提出了篆刻艺术史上的流派说 …………………… 69

三、印艺批评有胆识 ……………………………………… 70

四、提出"趣胜"说 ………………………………………… 70

五、提出"笔意表现"说 …………………………………… 71

第三节　实践之路 ………………………………………… 72

一、篆法:文随代迁 字唯便用 ……………………………… 72

二、刀法:碎刀短切 刀笔结合 ……………………………… 75

三、章法:各具篇章 不得混漫 ……………………………… 75

四、名印析赏 ……………………………………………… 76

五、亦有缺憾 ……………………………………………… 77

第四节　流韵之盛 ………………………………………… 78

一、对程邃、巴慰祖朱文印风的影响 ……………………… 78

二、对丁敬及"浙派"印风刀法的影响 …………………… 79

三、对邓石如及"邓(皖)派"印风篆法的影响 …………… 80

四、有一批直宗或兼宗的弟子 …………………………… 81

第三章　程邃:"参合铭文与大小篆入印"的篆法新举 …… 83

第一节　程邃篆法新举的意义 ……………………………… 83

第二节　铭文·古玺 …………………………………… 84
一、铭文就形——玺文 …………………………………… 84
二、铭文风格随青铜器造型的演变 …………………… 86
三、朴拙灵变——铭文之风 …………………………… 87
第三节　程邃的篆法新举与印艺实践 ……………… 88
一、学识广博 ………………………………………… 89
二、灵变运用 ………………………………………… 89
三、形成特色 ………………………………………… 91
四、影响深远 ………………………………………… 91

第四章　邓石如:“以书入印”及对写意印风的启示 ……… 95

第一节　书艺渊源与成就 …………………………… 95
第二节　“以书入印”创“刚健婀娜”印风 ……………… 97
第三节　邓石如印风对写意印风的启示 …………… 101
一、写意印风的演变 ………………………………… 101
二、善学善变的理念对印艺出新的推动 …………… 105
三、“以书入印”、“印外求印”的篆法新思对写意印风篆法写意性的示范 ………………………………… 106
四、在冲刀基础上创新刀法对写意印风用刀的神助 … 107
五、“疏可走马,密不透风”、“计白当黑”布局理念对写意印风章法审美的先导 ……………………… 107

第五章　黄士陵:“万物过眼即为我有”与隶意融印 …… 109

第一节　纵横融变　铸己印风 ……………………… 109
一、横汲明清 ………………………………………… 109
二、纵溯三代秦汉 …………………………………… 112
三、融变出新 ………………………………………… 116
第二节　隶意融印 …………………………………… 122
一、隶书的外在形变与意识存在 …………………… 122

二、隶意与篆刻 …………………………………… 123
三、黄士陵隶意融印的探索 ………………………… 132
第三节 黄士陵印风对近代以来印坛的影响 ………… 132
一、对"黟山(粤)派"形成的影响 ……………………… 133
二、近代以来印坛工稳印风的杰出代表 ……………… 135
第四节 黄士陵印艺精神的意义 ……………………… 138
一、尊古爱今,铸已印风的印学理念 …………………… 138
二、善交善学,勤奋多产的篆刻实践 …………………… 138
三、淡泊明志,终身探索的艺术精神 …………………… 139

第六章 邓石如与黄士陵印艺历程比较研究 ………… 143

第一节 邓黄印艺道路的共同点 ……………………… 143
一、少年承家学,境贫寒,先后走出故乡 ……………… 143
二、同具广游善交情性,得助成学 …………………… 145
三、晚年回归故里,叶落归根,皆终身布衣 …………… 150
四、皆成流派,光耀印坛 ………………………………… 151
五、作而不述,技进乎道 ………………………………… 152
第二节 黄士陵心仪邓石如 …………………………… 153
第三节 邓黄印艺历程的特色 ………………………… 155

附录 明清徽皖籍篆刻家简表 ……………………… 159

主要参考文献 ……………………………………………… 181

跋 《明清徽皖篆刻简论》(翟屯建) ………………… 185

后记 ……………………………………………………… 190

第一章

明清印坛徽皖籍六大家及所创六大流派

第一节 明清徽皖印学成果与六大流派

一、丰硕的印学成果与六大流派的形成

明清篆刻艺术是继秦汉印章艺术之后的又一辉煌时期，亦称为印章篆刻艺术史上的第二个高峰期。其显著特点是篆刻人才济济、篆刻大家辈出、篆刻流派纷呈、传世名印迭现、印学著述富宏、印谱刊行成风、印风百花齐放。

上述特点在明清时期的徽皖地区尤为引人注目，体现在：第一，篆刻人才济济，据笔者初步统计有印人 414 人，按籍贯，歙县 187 人，黟县 28 人，休宁 59 人，祁门 4 人，绩溪 11 人，婺源 17 人，怀宁 11 人，合肥 12 人，芜湖 10 人，南陵 1 人，庐江 2 人，无为 1 人，巢湖 1 人，广德 2 人，宣城 4 人，泾县 5 人，宁国 2 人，旌德 4 人，桐城 20 人，宿松 2 人，潜山 1 人，全椒 3 人，定远 1 人，太湖 1 人，凤阳 3 人，凤台 1 人，天长 2 人，池州 2 人，石台 1 人，霍邱 2 人，寿县 5 人，和县 1 人，六安 3 人，当涂 4 人，太和 1 人（见附录《明清徽皖籍篆刻家简表》）；第二，篆刻大家辈出，如何震、苏宣、朱简、汪关、程邃、邓石如、黄士陵等；第三，徽皖籍印坛大家所创篆刻流派纷呈，如雪渔派、泗水派、

娄东派、歙派、邓派(皖派)、黟山派(粤派)等;第四,传世名印迭现,如“笑谈间气吐霓虹”、“听鹂深处”(何震),“我思古人实获我心”、“张灏私印”(苏宣),“米万钟印”、“龙父”(朱简),“子孙非我有委蜕而已矣”、“逍遥游”(汪关),“愧能”(吴晋),“少壮三好音律书酒”、“徐旭龄印”(程邃),“乙卯优贡辛巳孝廉”(巴慰祖),“一日之迹”、“江流有声断岸千尺”(邓石如),“祇雅楼印”、“十六金符斋”(黄士陵)等;第五,印学著述富宏,如《印法参同》(徐上达),《印章法》(潘茂弘),《印品》、《印经》(朱简),《续印人传》(汪启淑),《广印人传》(叶铭),《六书正义》(吴元满),《红术轩紫泥法》(汪镐京),《论印》(吴邦治),《摹印要诀》(仰嘉祥),《印归》(江造舟),《续三十五举》、《铁笔十三法》(俞啸),《印苑》(程鸿渐),《印事所知》(汪浮若),《印章论》(金光先),《摹印秘论》(汪维堂),《古蜗篆居印述》(程芝华),《印章考》(方以智)等;第六,印谱刊行成风,如《何雪渔印选》(何震)、《苏氏印略》(苏宣)、《菌阁藏印》(朱简)、《宝印斋印式》(汪关)、《巴隽堂印存》(巴慰祖)、《小竹里馆印存》(金桂科)、《秦汉印统》(罗南斗)、《晓采居印印》(吴迥)、《鸿栖馆印选》(吴忠)、《飞鸿堂印谱》(汪启淑)、《忍草堂印选》(程原程朴父子)、《印薮》(胡正言)、《浣月斋印谱》(程鸿绪)、《古印汇存》(方清霖)、《十琴轩黄山印册》(郑林)、《滨虹草堂藏古玺印》(黄宾虹)、《黟山人黄牧甫先生印存》(黄少牧)、《张逖先刻印》(张祖翼)等等。

“‘量’往往是认识‘质’的重要门槛”①。上述明清徽皖印学成果的丰硕之“量”,构成了中国篆刻艺术史上的奇观。当然,这种奇观绝非是突现性的或是偶然性的,而是由多种因素综合交织而成。考虑到“研究背景的开阔和研究中心的聚集,……要将这种发展变化置于历史的大背景(包括政治、经济、

① 宁树藩著:《宁树藩文集》,第175页,汕头大学出版社,2004。

制度、科学技术、文化、民俗、工艺等方面）之中作宏观考察，研究其发生与发展的历史必然性，研究的焦点是艺术研究”①。笔者将以当时的地区因素与社会因素为切入点进行探究。地区因素对明清徽皖篆刻“奇观”的产生的影响，具体就篆刻艺术本身而言，地域文化对篆刻艺术篆、刀、章“三法”的影响以及对篆刻家人生艺术理念的形成的影响，是历来论者涉及不多的，本章将对此着重探讨。对于社会因素方面，历来已有众多专家学者著文论及，从当时的政治、经济、文化等方面入手，谈得较为深入，本章只作略述。

明清印坛的篆刻流派，从文彭的“吴门派（三桥派）”到黄士陵的“黟山派（粤派）”，可谓流派纷呈。常常被提到的有：文彭所创“吴门派（三桥派）”，何震所创“雪渔派（黄山派、新安派、徽派）”，苏宣所创“泗水派”，汪关所创“娄东派”，宋珏所创“莆田派”，程邃所创“歙派”，许容所创“如皋派”，王睿章、王玉如父子所创“云间派”，丁敬所创“浙派”，林皋所创“林派（鹤田派）”，邓石如所创“邓派（皖派）”，赵之谦所创“赵派”，高凤翰所创“齐鲁派”，吴昌硕所创“吴派”，黄士陵所创“黟山派（粤派）”等。在上述常被提及的印派中，徽皖籍印坛大家所创流派分别是：何震及“雪渔派（黄山派、新安派、徽派）”，苏宣及“泗水派”，汪关及“娄东派”，程邃及“歙派”，邓石如及“邓派（皖派）”，黄士陵及“黟山派（粤派）”，共谓明清印坛徽皖籍六大家所创六大流派（以下简称“六大流派”）。

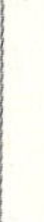

明清印坛篆刻流派的形成，一般皆是敢为人先的印坛大家纵向上博承优秀传统，横向上广汲同代精华，自出机杼，敢于创新，印风独特，名声与影响日隆，使崇拜师从者（或入室、或私淑）渐多，这些师从者有了弟子，弟子再传弟子……以此

① 李刚田：《关于篆刻学的思考》，载《孤山证印——西泠印社国际印学峰会论文集》，第49页，杭州：西泠印社出版社，2005。

类推，茬茬承传，逐渐形成了一个个印风相近的篆刻家群体，从而催生出一支支篆刻流派。六大流派的形成亦如此，每个流派前面有鼻祖开辟道路，中间有名家为骨干支撑，后面有众多篆刻家组成的群体茬茬跟进，而且具有每个篆刻流派的篆刻家群体队伍，在纵联方面将随着时间的延伸而增长，在横联方面将随着史料的发掘而拓宽的特点。

二、六大流派称谓再探

关于明清篆刻流派称谓，最早论涉者是明人朱简，他在所著《印经》中曰："乃若璩元玙、陈居一、李长蘅、徐仲和、归文休、暨三吴诸名士所习，三桥派也。沈千秋、吴午叔、吴孟贞、罗伯伦、刘卫卿、梁千秋、陈文叔、沈子云、胡曰从、谭君常、杨长倩、汪不易、邵潜夫，及吾徽、闽、浙诸俊所习，雪渔派也。程颜明、何不违、姚叔仪，顾奇云、程孝直与苏、松、嘉禾诸彦所习，泗水派也。"[①]朱简之后，亦继有论及者，如：

"皖印为北宗，浙为南宗。"[②]

"有明而还，递相祖述，途径益辟，门户聿分，遒劲宕逸者为浙派，浑圆茂美者为徽派。……自我朝钱塘丁龙泓、怀宁邓完白两先生出，精擘苍雅，神明规矩，遂为徽、浙两大宗。"[③]

"摹印家两宗，曰'徽'曰'浙'。浙宗自家次闲后，流为习尚，虽极丑恶，犹得众好；徽宗无新奇可喜状，学似易而实难，巴(予藉)、胡(城东)既殇，薪火不灭，赖有扬州吴让之。"[④]

"沿及有清，浙、皖两派，更迭称盛。浙派则有西泠八家之目，率皆胎息炎汉，自成一子；皖派则有完白山人邓石如，溯源

① 朱简：《印经》，载韩天衡编订《历代印学论文选》，第139页，杭州：西泠印社出版社，1999。

② 魏锡曾：《〈吴让之印谱〉跋》，载韩天衡编订《历代印学论文选》，第596页，杭州：西泠印社出版社，1999。

③ 胡澍：《〈赵㧑叔印谱〉序》，载韩天衡编订《历代印学论文选》，第608页，杭州：西泠印社出版社，1999。

④ 赵之谦：《书扬州吴让之印稿》，载韩天衡编订《历代印学论文选》，第597页，杭州：西泠印社出版社，1999。

李斯,别树一帜。”①

“浙宗至次闲而弊生矣;徽宗至让之而弊亦生矣。”②

“派别汇印各家自清始,如徽派《蜗篆居四家印谱》,浙派《西泠八家印谱》……”③

“黄易称文、何为南宗,程邃为北宗,……邓石如善各体书,其作篆用汉碑额法,因以碑额入印,又别开蹊径,是为皖派,……于是有曰浙派为南宗,而皖派为北宗矣。”④

关于明清印坛徽皖流派称谓,在多位学者的著文论涉中,对苏宣及“泗水派”,汪关及“娄东派”,黄士陵及“黟山派(粤派)”的称谓基本一致,而对何震、程邃、邓石如所创印派的称谓可谓众说纷纭,笔者选择出自20世纪80年代以来有代表性的学者的论述拟表如下:

何震、程邃、邓石如所创流派称谓一览表

何震所创流派称谓	程邃所创流派称谓	邓石如所创流派称谓	学者及文献
黄山派、徽派	皖派	邓派、皖派	方去疾编订:《明清篆刻流派印谱》,上海书画出版社,1980。
新安印派,亦称黄山派、徽派、皖宗、皖派	徽派、歙四家	邓派、新徽派、后徽派	沙孟海:《印学史》,杭州:西泠印社出版社,1987。
雪渔派	徽派	邓派	黄惇:《关于明清徽籍印人的流派问题》,《书法》,1989(1)。
徽派	歙派	皖派	王玉龙:《关于明清印学兴盛的几个问题——“明清篆刻流派评述”第一章》,《书法研究》,总第40辑。

① 陈浏:《〈望云轩印集〉自序》,载韩天衡编订《历代印学论文选》,第662页,杭州:西泠印社出版社,1999。

② 高时显:《〈吴让之印存〉跋》,载韩天衡编订《历代印学论文选》,第600页,杭州:西泠印社出版社,1999。

③ 高时显:《〈晚清四大家印谱〉序》,载韩天衡编订《历代印学论文选》,第706页,杭州:西泠印社出版社,1999。

④ 马衡:《谈刻印》,载韩天衡编订《历代印学论文选》,第414~415页,杭州:西泠印社出版社,1999。

续表

何震所创流派称谓	程邃所创流派称谓	邓石如所创流派称谓	学者及文献
	"徽宗"印学体系中之"徽派"	"徽宗"印学体系中之"邓派"	张郁明:《明代徽籍印人之归属及徽宗流派体系考辨》,《书法研究》,总第85辑。
雪渔派	徽派	皖派	辛尘:《历代篆刻风格赏评》,杭州:中国美术学院出版社,1999。
	徽派	皖派	薛永年:《清代篆刻刍议》,《中国书法》,2000(9)。
徽派确定阶段代表人物之一	徽派发展阶段代表人物之一		翟屯建:《徽派篆刻》,合肥:安徽人民出版社,2005。
雪渔派	徽派	皖派	王东明:《黄山代有印人出——明清徽系篆刻流派的廓清》,载《明清徽州篆刻学术研讨会论文集》,杭州:西泠印社出版社,2008。

对何震所创印派,有称"徽派",有称"新安印派(亦称黄山派、徽派、皖派、皖宗)",有称"雪渔派"……对程邃所创印派,有称"歙派",有称"徽派",有称"皖派",有称"徽宗(徽派)"……对邓石如所创印派,有称"邓派",有称"皖派",有称"徽宗(邓派)",有称"邓派(新徽派,后徽派)",如此等等。应当说,这些论述与讨论,对不断规范明清印坛徽皖流派称谓都很具学术价值,并有着很积极的启示意义。

就本文所论六大流派的称谓问题,笔者值此略抒拙见。朱简称何震所创为"雪渔派",苏宣所创为"泗水派",以师承为标准,实际且客观。对此两流派称谓,本文从朱简说。还应当看到,这个问题近年来经过印坛诸贤的不断探讨,成果亦愈来愈显乐观。近年出版的韩天衡先生主编的《中国篆刻大辞典》,就对印坛流派的称谓做了有意义的归纳工作(由于辞典类书籍作为工具书的特殊影响作用,其普及性及被引用量无疑是可观的)。其中另四大流派称谓为:汪关所创为"娄东

派”;程邃所创为“歙派”;其余两大流派称谓皆为两个:邓石如所创谓“邓派”,亦称“皖派”;黄士陵所创谓“黟山派”,亦称“粤派”。对已归纳为只有一个的称谓,笔者是持赞成态度的。但对有两个以上称谓的,笔者以为还可以归纳简化,原则是不影响原意,方法是将该流派较公认、常用的称谓概而简之。如邓石如所创“邓派”,亦称“皖派”,可概简称为“邓(皖)派”(这里的引号取着重意,括号取注释意。下同);如黄士陵所创“黟山派”,亦称“粤派”,可概简称为“黟山(粤)派”。称谓以这样的概括简称,一目了然。笔者以为时代需要包容,艺术需要包容,派别称谓亦不例外,“明清时期‘徽派’是一个包容性很大的概念,且它于篆刻史而言具有非凡的意义,那么我们今天花力气来研究它,当然不必自我束缚,而采取一种更灵活自如的理解姿态”①。艺术派别称谓,依据史实与具体情况,可以非此即彼,可以非彼即此,也可以“彼此彼此”,要达意,要便捷,要皆知所指。此为笔者粗略思考,包容为之,一己之见,就教于诸方家。相信经过不断研究,六大流派称谓将会愈来愈科学。

“徽皖”称谓当属地理行政区域划分范畴。“徽”为明清时期的“徽州府”简称,其时徽州府辖六县(歙、休宁、祁门、绩溪、黟、婺源,府治歙县)。何震为休宁(一说婺源)人,苏宣、汪关为歙县人,何、苏、汪三人在世时安徽尚未建省,因而三人当属“徽人”。至康熙六年(1667 年),清廷“分江南西半为安徽省”②,“安徽”二字取于“安庆”、“徽州”两府首字,巡抚驻安庆,安徽省简称“皖”。程邃为明末清初徽州歙县人,他于安徽建省 24 年后的 1691 年辞世,可称他为“徽人”,也可称他为“皖人”。邓石如生于清乾隆八年(1743 年),是名副其实的“皖人”,邓之后的黄士陵生于徽州府黟县,与程邃同样,称其为

① 陈振濂:《明清徽州篆刻学术研讨会论文集·序》,杭州:西泠印社出版社,2008。
② 谭其骧主编:《简明中国历史地图集》,第 65 页,北京:中国地图出版社,1996。

"徽人"、"皖人"皆可。基于这些史实，将何（震）、苏（宣）、汪（关）、程（邃）、邓（石如）、黄（士陵）六大家以及所创六大流派称之以"明清印坛徽皖籍六大家及所创六大流派"，基本上照应了此段历史时期区域划分的沿革。

据于上述，本书所涉六大流派称谓如下：何震及"雪渔派"，苏宣及"泗水派"，汪关及"娄东派"，程邃及"歙派"，邓石如及"邓（皖）派"，黄士陵及"黟山（粤）派"。

第二节 地域文化对篆刻艺术的影响

一、辉煌的地域文化滋养篆刻艺术的发展

论及明清时期徽皖的篆刻艺术，必将论及源远流长的徽皖地域文化。徽皖地域文化以淮河、长江为界，由北而南形成皖北"淮河文化"、皖中"皖江文化"和皖南"徽州文化"三大文化圈。三大文化圈内涵丰富，各具风貌，相互交融。"淮河文化"为商楚文化的交汇，仅以历史名城亳州、寿县为例，公元前十六世纪商汤建都于亳，春秋战国时期，寿县（寿春）曾为楚国首都。淮河文化圈诞生过老子、庄子、管仲、曹操、华佗等历史名流，出土过鄂君启节、汉墓壁画字砖等，拥有过大书画家曹霸、梁巘等等。明清时期此文化圈内亦诞生过一批篆刻家，人数虽不多，但亦可填补该地区此时期篆刻艺术史上的空白（见附录《明清徽皖籍篆刻家简表》）。"皖江文化"融合古皖文化与移民文化，勃兴于明清之际，既有荆楚文化流风，亦有吴越文化特点，还有青铜文化遗韵。以此文化圈内的安庆、桐城为例，在文艺方面先后出现了中国文学史上最大的散文流派"桐城派"、民间长篇叙事诗《孔雀东南飞》、黄梅戏、大画家李公麟等等。本文所论明清印坛徽皖籍六大家之一的邓石如即诞生于安庆怀宁县。从附录中可以看出，明清时期此文化圈内的印人亦以安庆、桐城人数为多。但综观明清徽皖的篆刻艺术

史实，篆刻艺术最显兴盛，从而构成了"篆刻艺术史上一种奇观"的还是在"徽州文化"圈内。特别是本文所论明清印坛徽皖籍六大家所创六大流派中五大流派鼻祖何震、苏宣、汪关、程邃、黄士陵均为徽州人，邓石如也与徽州关系密切。他们皆得力于深厚的地域文化——徽州文化沃土的滋养。

徽州文化之所以能成为明清徽皖地区篆刻艺术兴盛的摇篮，是由于徽州文化的特性。"明清时期的徽文化既是特色鲜明的地域文化，又具有主流文化的地位和影响"①。当今国际学说界公认中国有三大"显学"：敦煌学、藏学、徽州学。在这其中，敦煌学代表了中西文化交流，藏学代表了少数民族文化，徽州学则是汉民族儒家文化的"活化石"。"中华传统文化发源于中原地区。但明清时期，文化中心已经移往东南一带。在一般人的心目中多以苏、杭为其中心。但考究起来，中华正统文化的传承与创新，最具代表性的当属徽州。徽州文化虽然糅合了一些地方性的因素，但其保留正统文化的原典最多，发展光大的成分亦重，成为中华优秀文化传承的典型"②。因而相较而言，徽州文化发展到明清时期，更利于中国传统艺术之一的篆刻艺术的发展。关于这一点黄宾虹曾有过精辟的分析："宋迁临安，江南人文，号称极盛。有明以来，五百年中，篆刻之学，所可言者，皖南之宣、歙。"③

徽州文化是指原徽州所属歙、黟、休宁、祁门、绩溪和婺源六县所呈现的既有独特性，又有典型性，并具有学术价值的各种文化现象的总和。现有的研究成果将它的本土称为"小徽州"，将它的伸展地域（以江南的苏州、松江、常州、镇江、江宁、杭州、嘉州、湖州、太仓和淮扬等地区，以及芜湖、安庆、武汉、

① 吴春梅：《乡土观念文化与文化认同——从徽文化谈起》，载许怡主编《弘扬优秀传统文化，密切海内外同胞关系理论研讨会论文集》，第42页，北京：中国致公出版社，2006。

② 叶显恩：《徽州文化全书·总序》，第3页，合肥：安徽人民出版社，2005。

③ 黄宾虹：《古印概论》，载韩天衡编订《历代印学论文选》，第400页，杭州：西泠印社出版社，1999。

临清等城市)称为"大徽州","由大、小'徽州'互动融合形成博大精深的文化。它包含着物质文化,制度文化和精神文化"[1]。有意味的是,这些地区也正是当时徽皖篆刻家们主要活动的地区。

明清徽皖篆刻家群体的产生与发展,并能在规模与艺术上达到空前的兴盛与高度,其中地域文化的滋养起到了重要作用。简言之,是朱熹理学养其质,徽州商贾促其成,地域诸工艺实其技。虽然很多徽皖籍篆刻家成名前或成功后人已离开徽皖地区,但百派归源,徽皖文化的底蕴是他们艺术创变之源本。朱熹,这位祖籍徽州婺源(今属江西)的理学大家,在前人尤其是"北宋五子"的思想基础上,构建了一个以"理"为最高哲学范畴的客观唯心主义哲学体系。这个体系包括理气论、心性论、格物致知说等内容。朱熹思想在其身后一直被视为儒家正统,并且成为支配中国思想界达六百余年之久的官方哲学,他的很多理论成为伦理和审美的规范,影响了众多徽皖艺人的艺术理念。如徽州诸雕,从内容上看,虽然儒释道三方面皆有,但儒家精神始终占主导地位,通过对传统戏剧人物的雕刻,呈现出忠孝节义的道德伦理。反映在篆刻艺术上,是以六书为基础,篆、刀、章"三法"俨然有序,在印风方面或端古雅健,或阔博厚醇,或俊爽典雅,或古穆苍凝,或刚健婀娜,或光洁峻挺,如此等等,虽流派纷呈,但不离正统之源,即印宗秦汉。具体来说,朱熹的理气论、心性论、格物致知说等观点,影响了篆刻家们的伦理和审美,并为篆刻家们的艺术创变提供了哲学理论土壤。一是理气论中的"理"。朱熹认为"理"是一个有层次的范畴:一个层次是具体之理,即一物有一物之理;较高层次是一类事物的共同之理,即一类事物有一类事物之理;最高层次是"一理",即"太极",这是理之极致,包括了天地

① 叶显恩:《徽州文化全书·总序》,第4页,合肥:安徽人民出版社,2005。

万物之理。朱熹此论，具体到篆刻艺术领域，揭示出篆刻家个体——篆刻家群体及篆刻流派——艺之大道之间的辩证关系。二是心性论中的“心与理一”。朱熹心性论的核心是讨论心与理的关系。他主张将天理安置于人的心中，通过穷理尽性，达到天人合一之境。他认为“心有体用，未发之前是心之体，已发之际为心之用”，人心是人的感情的存在，道心则出于普遍的真理，化理为心，变客观精神为主观精神，主客合一，心与理一。这在哲学层面揭示了篆刻家们在印艺理念与实践中如何心手化一，主客融一，最终达到心与手、理念与实践和谐共美的艺理至高境界。三是格物致知中的“豁然贯通”。他主张“今日格一物，明日格一物”，豁然贯通应以渐进积累为前提，就是把积累的知识，加以综合整理，成为系统的知识，以完成认识过程中质的飞跃。以“豁然贯通”论观照徽皖篆刻家的艺术历程，可称十分恰当。众多的篆刻家(包括六大家在内)，无不是经过长期磨砺，日积月累，方渐臻理念与实践豁然贯通之高度，在最终完成了艺术升华的同时，也为后来者探明了篆刻艺术的正变大道。虽然从明代中叶以后，部分士人从对朱学的信仰转向日益兴起的心学，但从徽皖地区文化层面上讲，朱熹理学在哲学思想上对徽皖篆刻家群体的伦理与审美的影响是显见的。

徽商发迹于元末明初，大盛于明代中叶，经过不懈奋斗，徽商由起初竹、木、茶等的贩卖，到经营水产业、盐业、典当等，明清时全国盐商中徽商占一半。据《淮鹾备要》卷一载，仅扬州一地的盐业，徽、晋商人资本就有约七八千万两，而康乾盛世国库存银也不过七千万两，此例足证彼时徽商之富裕。徽商成功后，大力发展教育文化，兴办各类社学、书院，文化人口增多，科举得到重视，这使徽州在经济高潮之后出现了文化高潮。据史料记载，明清徽州籍状元、进士，按当时人口比例算，一时占全国之首。人才辈出，不拘一格，这其中包括名臣能

吏、富商大贾、学者名儒、文坛才俊、艺苑名流、科技群彦、能工巧匠、名媛闺秀、隐士高僧等等，有文献可稽考者达五千余人，其范围广涉政治、经济、哲学、文化、艺术、科技、工艺等领域。这些硕果的显现，无疑是篆刻艺术兴盛和发展的丰富资源与广阔空间。徽商的日益崛起，对内带动了古徽州崇文风气的日益浓厚，文化世家层出不穷，文人艺术家人口日益增多，篆刻家队伍也随之日益壮大；对外“徽商不仅带动了大都市的商业，也将徽产百工艺人带进了大都市”[①]。这“百工艺人”中，当然包含了数量相当的篆刻家。

徽皖文化所具有的鲜明的地域文化艺术特色，极利于篆刻艺术的兴盛，这其中如文书档案、书画艺术、版画、刻书、工艺、建筑、村落、教育、戏曲、民俗以及文化理念等，对篆刻艺术篆法、刀法、章法的影响和对篆刻家审美观、人生观、价值观的影响都是显见的。

二、徽皖文书档案与书画艺术对篆刻“篆法”的影响

“篆法”是与书法紧密相连的，都在书法艺术范畴之内。从来书法家不一定是篆刻家，而篆刻家必先是书法家。而书法艺术则又被包括在“书画”艺术大范畴之内。徽州文书档案是指历史上该地区多达约50万件的原始契约文书，其中历史名人手迹就有1000件以上，这些文书档案的时间上限为南宋。其“最显著特点，即是其民间性”[②]。因而，徽州文书档案主要是产生于民间的实用书法，特点是直率随意、天趣烂漫，它与明清徽皖书画艺术同样对篆刻“篆法”影响颇深。1988年，合肥市郊出土的宋代夫妇合葬墓中有两锭宋墨，上有“歙州黄山张谷”阳文篆书，表明篆书艺术在此地早已实用。明代四大制墨名家之一程君房编刻的《程氏墨苑》中，有不少墨模

① 黄惇：《明代徽籍印人队伍之分析与崛起之因》，载《明清徽州篆刻学术研讨会论文集》，第12页，杭州：西泠印社出版社，2008。

② 严桂夫，王国健：《徽州文书档案》，第50～51页，合肥：安徽人民出版社，2005。

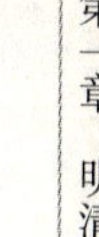

上镌有篆书,如“五松”、“九子墨”等。其中“巨川舟棹”四字小篆,线条挺拔圆畅,结体端中寓巧,“篆法”可谓精妙美观。明代休宁人詹景凤的草书艺术被时者评为可与祝枝山比肩;清代歙县人程瑶田的隶书“精妙无比”。桐城派文学家姚鼐的书法被称为“神誉独绝”[①]。至乾嘉时,六大家之一邓石如的篆隶雄视千古,“以书入印”,“篆法”大新。在绘画艺术方面,“新安画派的历史源头则该追溯到唐代。根据黄宾虹考证,新安最早的画家是唐朝的薛稷和张志和二人”[②]。明代歙县人李流芳的山水花卉俱佳。休宁人丁云鹏是明中叶以后释道人物画的一流大家。至有清一代,以渐江、查士标、程邃等为代表的新安画派,以石涛为代表的黄山画派名显画坛。加之“清代徽州考据学的兴盛,代表了清代学术的最高成就。考据学虽不为篆刻而起,但它对金石文字的考证研究,对篆刻艺术的发展产生重大影响”[③]。有此种既来自民间又源于专业的学术艺术氛围的熏陶,一派笔歌墨舞景象,书法艺术及“篆法”必随之日渐臻妙。

三、徽州雕刻工艺对篆刻“刀法”的影响

徽州刻书始于唐,兴于明,盛于明万历年间。其时官刻、坊刻、书院刻、家刻可谓一派繁荣气象,“真正达到‘家传户习’,‘村墟刻镂’的程度”[④]。刻书与篆刻刀法的关系堪称密切,只不过其受刀之材为“木”而非“石”而已。明代徽州(新安)版画是当时三大版画流派之一(另两派为福建建阳版画、江苏金陵版画)。徽州版画滥觞于墨模镂刻,施刀于木版材料,一发端就与“刀法”有着十分密切的关联。“徽派版画的刻工很注意刀法的运用,他们根据画稿表达的内容,采用不同的

---

① 张海鹏等主编:《安徽文化史》,第1443页,南京大学出版社,2000。

② 郭因,俞宏理,胡迟:《新安画派》,第26页,合肥:安徽人民出版社,2005。

③ 翟屯建:《徽派篆刻》,第59页,合肥:安徽人民出版社,2005。

④ 徐学林:《徽州刻书》,第41页,合肥:安徽人民出版社,2005。

刀法，如雕刻山石、树木运用遒劲的涩刀，凝顿钩斫，刀锋浑沦，给人以粗犷沉雄、苍劲古拙的感觉；刻人物、楼阁、行云、流水则用轻捷的切刀，运转流畅，刀锋爽利，给人细腻明快、挺劲秀丽的印象”[①]。有些刻工刀头所至，能发画家所未发。在这方面比较突出者要数徽州黄氏一门。“在黄氏刻工中，有些是丹青老手，善画善绘，能雕能印。他们用婉转有力的刀锋把徽派版画艺术推到炉火纯青的艺术境界”[②]。徽州工艺中的石砖木三雕主要兴行于民间建筑业与家具业以及有关器物装饰，工艺特点是以刀代笔。其中石雕主要以浅雕、线雕、镂空雕等为主，刀(凿)工迟涩深浅，随机应变，尽遂人意。砖雕需先在砖上凿出大体雏形与深浅层次，然后再修刻出细部。由于常需雕刻出多层镂空且具有故事情节的效果，那就更要精心雕刻。如在一块方不盈尺的砖面上透雕出多个层次，其用刀之法必要求丰富多变，切、冲、削、刮等尽为其用，当然还需伴以斧、凿等工具及修补等辅助方法。三雕中的木雕与新安版画、刻书工艺在大体上应具有互通互鉴的关联，皆是以“刀”施于“木”，因而其用刀之法亦归一理。如绩溪县镇头乡宋宅“16块隔扇裙板，集篆、隶、楷、行、草书法”[③]。徽州墨模印版制作始于南唐奚廷硅。墨模工艺中的字画与雕刻都是很有讲究的，现藏安徽省博物馆的“百牛图”的墨是明万历年间歙县著名制墨名家程君房所制，其中体态生动的百牛由当时名画家丁云鹏绘就，墨面“贡墨”二字及墨背“程君房”三字皆为阳文小楷，由于刻模技术高超，其意趣颇近两方楷书印。歙砚雕刻“根据内容，赋之刀法精雕细刻，有的奔放、刚劲，有的细腻、含蓄。砚雕主要靠手劲，持刀要稳，下刀要准，推刀要狠，掩疵显

---

① 张国标：《徽派版画·引言》，第1页，合肥：安徽人民出版社，2005。
② 叶树声，余敏辉：《明清江南私人刻书史略》，第164页，合肥：安徽大学出版社，2000。
③ 鲍义来：《徽州工艺》，第141页，合肥：安徽人民出版社，2005。

美，不留痕迹。所以许多砚工既是雕刻家又是画家、篆刻家"[①]。而"铭砚"，则是直接在石上刻字，与篆刻艺术施刀于石如出一辙。可见，"工艺雕刻与篆刻都是以刀为工具进行操作，两者的关系极其密切。徽派篆刻的兴起，同徽州悠久的工艺雕刻传统长期以来的浸淫是分不开的"[②]。

四、徽州诸艺术对篆刻"章法"的影响

新安画派代表人物渐江大师的《黄山松石图》章法宏伟，画中之松石或倒挂悬崖，或凌空飞驾，尽现松奇石怪之神韵。黄山画派代表人物石涛大师的《搜尽奇松打草稿》长卷，万峰涌动，江山多娇，章法绵延壮阔，动人心魄。徽派版画代表作，亦可称作徽派版画最高成就的《十竹斋书画谱》与《十竹斋笺谱》，诗书画印结合，虚实繁简互衬，典雅精致。徽派建筑中的布局原理可称巧夺天工。徽州村落大多傍水依山而建，这种布局顿使水色山光村落人群融为一体，再点缀以白墙黛瓦，一派人居图画中之仙境。徽州民居中的天井"是徽州民居的心脏。正是天井，使对外几乎完全封闭的宅第，找到采光、通风的方法，也延伸了半开敞堂屋的视觉范围。堂屋与天井比例微妙的变化，是丰富空间层次感的因素"[③]。呈坎村的选址布局"糅合了《易经》中阴阳二气统一、天人合一的思想。村落依山傍水，形成二圳五街。村口老树苍郁，桥亭翼然；村内长街短巷，纵横交错，高墙低檐，穿插揖让，自然亲切，古韵依然"[④]。而一些古塔的布局，如黄山岩寺的风水塔，"以塔象征笔，与塔东的风山示砚呼应，以祈求当地文风昌盛"[⑤]。这些布局联想与实际结合，动与静结合，出人意料又在情理之中，令人叹为

① 鲍义来：《徽州工艺》，第 73 页，合肥：安徽人民出版社，2005。
② 翟屯建：《徽派篆刻》，第 26 页，合肥：安徽人民出版社，2005。
③ 张海鹏等主编：《安徽文化史》，第 1474 页，南京大学出版社，2000。
④ 朱永春：《徽州建筑》，第 305 页，合肥：安徽人民出版社，2005。
⑤ 张海鹏等主编：《安徽文化史》，第 1470 页，南京大学出版社，2000。

观止又能浮想无限。在长期实践过程中,“徽州人积累了一套建筑组群的‘章法’:(一)有聚有散;(二)偏正相间;(三)有向有背;(四)起承转合;(五)寓曲于直;(六)起伏相间”[①]。此套建筑组群章法,无需更改一字,便可直接用于篆刻艺术章法的布局实践之中。而“徽剧讲究感官刺激,注重武戏和杂耍等表演形式,也是为了更多地吸引平民观众”[②]。这与篆刻艺术章法注重视觉美感效果之理颇为相近。

五、徽皖文化理念对篆刻家价值观的影响

崇儒好学的人文环境对篆刻家文化修养基础的奠定有着直接的作用。徽皖地区唐宋时期文学艺术就非常兴盛,仅著名书画家就有曹霸、李阳冰、崔白、李公麟等。自南宋迄明清,崇儒好学之风更是盛行,徽州更是被称为“东南邹鲁”。其时的徽州六邑,可谓墨香四溢,书声琅琅。歙县“彬彬乎文物之乡也”;休宁“人文骎起……即就试有司,动辄数千人”;婺源“虽十家之村,亦有诵读之声”;祁门“理学阐明,道系相传”;绩溪“彬彬多文学之士”;黟县之名宿“讲学家塾,出其门下成名者不少也”[③]。诚如至今在徽民居厅堂中还常见的古楹联句:“第一等好事只是读书”,“百年世业在诗书”,“读书好营商好效好便好”……对读书成绩突出的“科举入仕者的隆重褒奖,形成了徽州‘儿童也识科名重,送学红旗写状元’的社会风尚”[④]。此种崇儒好学,文质彬彬之风气的长期熏陶,亦为此时期篆刻家们的文化修养奠定了坚实的基础。同时,“徽骆驼”精神对篆刻家刻苦钻研品质的培养作用也十分明显。徽州人自幼就养成一种发愤“自立”的良好习惯,诚如徽州民谣所云:

① 朱永春:《徽州建筑》,第97～102页,合肥:安徽人民出版社,2005。

② 翟屯建:《从徽州艺术特点看中国传统艺术的发展方向——评〈徽州文化全书〉艺术类卷》,载《徽学丛刊》总第5期,第45页,合肥:安徽省徽学学会,2005。

③ 张海鹏等主编:《安徽文化史》,第1638～1639页,南京大学出版社,2000。

④ 李琳琦:《徽州教育》,第158页,合肥:安徽人民出版社,2005。

“前世不修，生在徽州；十三四岁，往外一丢。”这表明了徽州人鼓励少年自立自强的决心和信心。这种“徽骆驼”精神，必然会感染徽皖篆刻家们，并给予他们以榜样的力量。本文所涉篆刻六大家基本都是长年奔波奋斗在外乡。他们中的何震长住南京；苏宣曾在苏州文彭家设馆并奔走不辍；汪关所创称为“娄东派”，当长寓娄东（江苏太仓）；邓石如一生游食四方；黄士陵20余岁离乡，先后寓南昌、广州、京师、武昌等地30多年……另外，徽州人的“交游文化”对篆刻家善交善学、善抓机遇能力的培养起到了熏陶作用。徽州宗族族谱的家规家训家典，皆提倡注重“交游文化”。尤其是徽商，交游范围广涉士农工商等领域，交游对象下至村夫野叟，贵至达官显要，甚至当朝天子。如歙商江春因屡助公益，乾隆帝数次南巡都对其赏赐便是一例。徽商还尤以与文士交游为乐事，如歙商黄明芳“好交结斯文士，一时人望如沈石田、王太宰、唐子畏、文征明、祝允明皆纳交无间”[①]。有这种交游文化环境的熏陶，就不难理解六大家皆具善交善学、善抓机遇的能力了。这其中如何震与汪道昆、文彭的交游；邓石如与金榜、程瑶田、曹文埴等的交游；黄士陵与吴大澂、张之洞、端方等的交游。事实表明，这些交游，都直接影响与改变了篆刻家们的人生与艺术历程。

六、社会诸因素的影响

从印章篆刻艺术史来看，自传为殷墟出土的三枚商玺至春秋战国古玺、秦汉印章、三国两晋南北朝隋唐宋官私印以及肖形印等等，大都由先民中的无名氏工匠铸凿而成（当然也有少数印工之名传世，如三国印工杨利、守宗，唐末铸印官祝思古等）。至宋元间，以宋代米芾，元初赵孟頫、吾丘衍，元末王冕等为代表的文人艺术家对篆刻的自觉介入，在揭开文人篆

---

① 张海鹏等主编：《安徽文化史》，第1676页，南京大学出版社，2000。

刻艺术序幕的同时,也引发其后明清篆刻流派的潮流。米芾是宋代著名书画家,其所著《书史》、《画史》中有多处论及印章。相传米芾能篆,亦传能刻,他所跋褚摹《兰亭》曾连钤七印。赵孟頫是元初大书画家,书法诸体皆工,亦擅铁线篆,篆法圆润雅致,被誉为"如春花舞风,轻云出岫",其自用印多为自篆后由印工刻就。与赵同时的吾丘衍,著有《学古篇》等印学著作行世,他精六书,工篆刻,与赵并称"吾赵",两人同为"圆(元)朱文"印风开创者。元末王冕是画家,尤以墨梅著称。他首开以花药石刻印章之先河,"对明以来的印学大发展起了莫大的推动作用"[1]。

从当时有关的社会政治因素方面来看,明末没落混乱的末世政局与由明延至清的文字狱的横行,使得文人们人人自危。特别是"清代的文字狱论其规模之大与持续之久都是空前的。手段之毒辣,诛杀之凶残更是远远超出了前代"[2]。再加之"有清一代,人们明明知道这一客观存在,但口中、笔下却谁也不敢提"[3]。这些社会文化因素的震慑作用,已足可令士人们谈文色变,他们中的相当一部分人纷纷潜入故纸堆,到距离现实时政较远的也是较冷僻的学科如史学、音韵学、文字学、训诂学、经学、考据学等领域去发展,这其中当然也有不少文人步入了书画篆刻领域。这既能使他们不疏学问,又能较稳妥地避免迫害。

从当时有关的物质因素方面来看,元末王冕进行的印材革命——创用花药石刻印,这是一个在印章篆刻艺术史上堪称划时代的创举。之所以称王冕此举有着"划时代"的历史意义,是因为从三代到秦汉以至元末,印章艺术的材料都是以"金"为主的,由工匠铸凿而成,工艺成分多,有美感但还处于

---

① 沙孟海:《印学史》,第98页,杭州:西泠印社出版社,1987。

② 黄裳:《笔祸史谈丛》,第130页,北京出版社,2004。

③ 黄裳:《笔祸史谈丛》,第118页,北京出版社,2004。

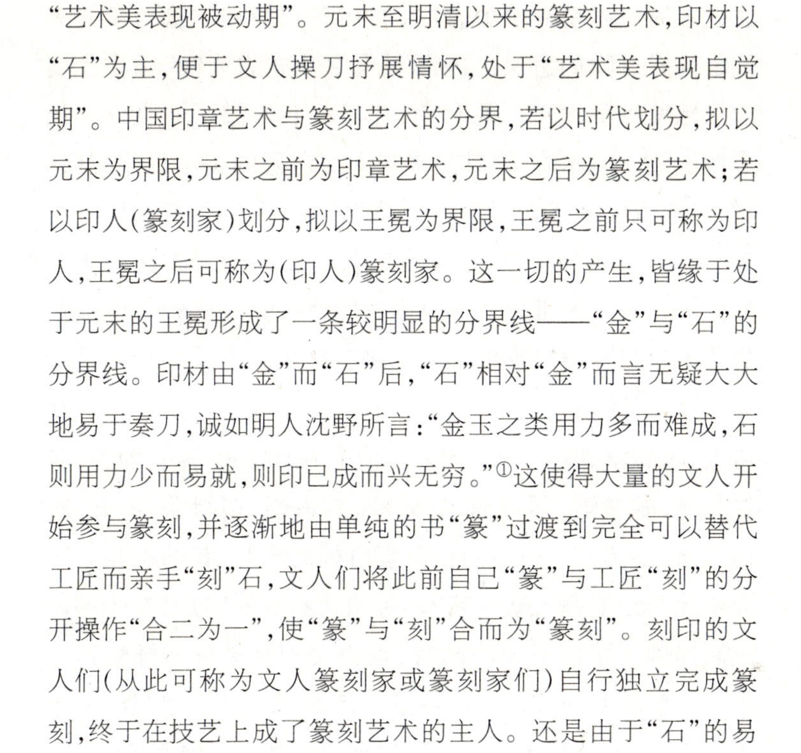

“艺术美表现被动期”。元末至明清以来的篆刻艺术，印材以“石”为主，便于文人操刀抒展情怀，处于“艺术美表现自觉期”。中国印章艺术与篆刻艺术的分界，若以时代划分，拟以元末为界限，元末之前为印章艺术，元末之后为篆刻艺术；若以印人（篆刻家）划分，拟以王冕为界限，王冕之前只可称为印人，王冕之后可称为（印人）篆刻家。这一切的产生，皆缘于处于元末的王冕形成了一条较明显的分界线——“金”与“石”的分界线。印材由“金”而“石”后，“石”相对“金”而言无疑大大地易于奏刀，诚如明人沈野所言：“金玉之类用力多而难成，石则用力少而易就，则印已成而兴无穷。”[①]这使得大量的文人开始参与篆刻，并逐渐地由单纯的书“篆”过渡到完全可以替代工匠而亲手“刻”石，文人们将此前自己“篆”与工匠“刻”的分开操作“合二为一”，使“篆”与“刻”合而为“篆刻”。刻印的文人们（从此可称为文人篆刻家或篆刻家们）自行独立完成篆刻，终于在技艺上成了篆刻艺术的主人。还是由于“石”的易于奏刀，从而赋予了篆刻艺术在元末之后的明清时期能迅速普及并兴盛的决定性物质条件。因此，“自元代以来，文人将实用印章转变为文人艺术，赋予篆刻更多的艺术内涵与审美理想”[②]。当然，由“金”而“石”，王冕之后掀起明清文人篆刻大潮的是以灯光冻石刻印的文彭。

从当时有关的文化艺术因素方面来看，封建等级社会曾讲究“雕虫小技，壮夫不为”。“明朝中叶，思想领域发生重大变化，长期处于主导地位的程朱学派已趋保守，在学术上丧失了创新精神，一部分士人从对朱学的信仰开始转向对陆学的探求，于是心学兴起。代表人物是王守仁”[③]。心学影响朝野，

---

① 沈野：《印谈》，载韩天衡编订《历代印学论文选》，第67页，杭州：西泠印社出版社，1999。

② 言公达：《反映时代 感恩生活 繁荣创作——“当代篆刻艺术大展”评审和研讨有感》，《书法》，2007(8)。

③ 翦伯赞主编：《中国史纲要》（增订本），第591页，北京大学出版社，2006。

注重人的主体精神价值，以人的存在和精神质量为参照来确定世界万物的意义。因而明代中叶亦成为“我国古代美学思想发生重大转折的时期，并由此而兴起了一股以张扬个性价值为内容的、颇具浪漫与人文色彩的美学思想，其影响，当然也波及当时的篆刻艺术”①。文人们逐渐解除思想束缚，转而“雕刻小技，壮夫可为”，这一举动又转化为重要的艺术因素。大批文人介入篆刻领域，就很自然地将他们的艺术思想及诗情雅趣带入篆刻。这些文人原本大多是学养深厚、多才多艺之士，他们中有的原本就是书法家、画家、诗人、收藏家、雕刻高手等等。他们在印艺中各显神通，各逞其能，融书画，师钟鼎，法碑额，宗古玺，追封泥，摹石鼓，仿泉布，参砖瓦……他们在自篆自刻的同时，其情感与才艺亦不知不觉地融入篆刻艺术中，加之石章的实用，在为印款刻制提供了崭新天地的同时，也为文人篆刻家们抒情达意提供了新的空间。这就使得篆刻艺术时时产生出强烈的审美因素，诚如朱简所云：“文人之印以趣胜。天趣流动，超然上乘。”②这些艺术因素使得印章功能逐渐由以实用为主转向以艺术审美为主，同时，文人们将自己的实践体会上升到理论高度，这又促进了明清印学理论的空前发展，印艺实践与印学理论双备共进，这就使得明清印坛呈现出一派勃勃生机。

第三节　六大流派的印风特色

一、何震及“雪渔派”：端古雅健

何震(1535～1604)字主臣，一字长卿，号雪渔，徽州休宁

① 朱培尔：《试论清代中叶篆刻艺术崛起的标志》(上)，《中国篆刻》，1997(1)。

② 朱简：《印经》，载韩天衡编订《历代印学论文选》，第141页，杭州：西泠印社出版社，1999。

人[①](一说何震生卒年为约1530～1606年，婺源人)。

印风：篆法上强调以六书为准则，认为"六书不能精义入神，而能驱刀如笔，吾不信也"。人称其篆法"无一讹笔"，用刀猛利泼辣，章法端庄恢宏。印风如新剑发硎，清峻淋漓。观其"听鹂深处"白文印(图1－1)，篆法规范，章法端庄，运刀奔放酣利，尽任刀锋时露，苍茫之气扑面而来，给人以一气呵成、回肠荡气之快感。曾收入《承清馆印谱》中的"修竹湾"白文印(图1－2)，在篆法上，"修竹"二字依然端整，出于布局需要，"湾"字三点水依隶法简化，其中"弓"字笔画则适度增繁。运刀冲中有切，冲切互动，一泻千里，尽抒情绪。整印厚浑朴苍，畅达淋漓，"猛利"之气，一览无余。

图1－1

图1－2

创新：① 一变文彭秀雅之气，以"猛利"之风突起印坛；

② 开印文内容以文句抒情寄兴之先河；

③ 开印人汇集印谱之风气；

④ 首创单刀刻款。

影响：① 开创"雪渔派"；

② "片石如金同价"。

"雪渔派"篆刻名家：

吴忠，明篆刻家。字孟贞，歙县人。师从何震30余年，坚守乃师传统，1615年辑成《鸿栖馆印选》。从吴忠所刻"不敢为先"一印(图1－3)不难看出，他走的是宗汉宗师(何震)的路子。此印篆法一笔不苟，用刀宗乃师之法，布局是方形印面四字均衡排列，应规入矩。整印溯汉白文印之规范，刀法上力近何震。另有"孟贞氏"一印(图1－4)，篆法略汲大篆之意趣，运刀循规，章法已显奇构之思，然整印仍属规整一类。吴忠是何震入室弟子，谨守乃师传统，而"不敢为先"确是吴忠尊

图1－3

图1－4

① 翟屯建：《何震的生平与篆刻艺术》，载《明清徽州篆刻学术研讨会论文集》，第57页，杭州：西泠印社出版社，2008。

图 1—5

图 1—6

图 1—7

图 1—8

图 1—9

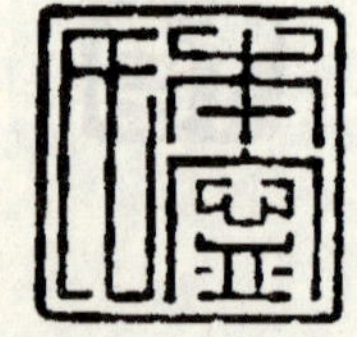

图 1—10

师或曰自谦心境的写照。但从印风角度分析，将其以上两印与同是白文印的何震所刻“程守之印”(图 1—5)、“青松白云处”(图 1—6)相较，明显使人感到吴忠“不敢为先”缺乏思变而显露出的拘谨，这种现象可启后来者深思。

吴迥(1555～1636)明篆刻家。字亦步，歙县人。印宗何震，印风苍健，兼擅刻竹。自刻印分别于 1614 年辑成《晓采居印印》，1618 年辑成《珍善斋印印》。历来论者皆认为吴迥篆刻深得其师何震之法，观其印信确是如此。若将吴迥所刻白文印“虞许之印”(图 1—7)、“马士英印”(图 1—8)等放入何震印作中，其气息形态确为一承师脉。然吴迥亦有独思，所刻如“农长父”(图 1—9)、“本宁氏”(图 1—10)一类印作，可视为他在何震基础上有所新思之作。白文印“农长父”与朱文印“本宁氏”，在布局上颇为类同，即“二一式”构图，只不过“农”印长方形、“本”印正方形而已。两印用字皆取汉篆，用刀冲切相交，畅涩互用，一承乃师。两印的出新点在于章法的大胆巧构。若将这两方印放入乃师印作中间，即可显出吴迥的不同之处，此亦是吴迥对此派印风的贡献所在。

金光先，明篆刻家。字一甫，休宁人。篆刻初习何震。综观金氏印作，不难发现那里面何震的影子很少，汉印的意味则很浓。笔者以为这正是金氏的聪明之处，因何震的篆刻理念是宗法秦汉，精究六书，金氏宗法何震，他“宗”的是乃师的篆刻理念，而这比一味宗师形式在艺术品位上更胜一筹。金氏于何震处初得法则后便直溯师源，专攻汉印，并且表现为理论与实践同行。在理论上，他认为“平正方直，繁则损，减则增”，这就是汉印的篆法。他还认为得篆法以后应“以刀法运之，斫轮削锯，知巧视其人，不可以口传也”。他强调在刀法上宜灵活运用，重在实践。观金氏“潘庆”印(图 1—11)，一股汉凿印气息扑面而来。再观其“淳于德”印(图 1—12)，篆法精密，刀法淳古，章法通达。整印篆、刀法极具汉意，而章法则一任自然。若将这方印放入今日印坛的印集中，亦有一股现代气息，这可能是金氏当初始料不及之处，也证明了“印宗秦汉”实乃印风“正变”之通途。

图 1－11

梁袠(？～1644)明篆刻家。字千秋，扬州人。篆刻得何震传授，印风直逼乃师，几可乱真。1610 年著有《印隽》4 卷，其中所载多为摹刻乃师之印，成为考证何震作品的重要佐证。如果说前述吴忠、吴迥的印风基调皆承何震的话，那么此派中的梁千秋在这方面就堪称更胜一筹了。何震曾为沈生予治印五百余方，经此耳濡目染，沈氏就成了精鉴何震印章真伪的高手。但沈氏见到梁千秋的印作，则难辨孰何孰梁，可见梁承何印风已到逼真酷似的层次。然梁氏毕竟是不凡之辈，他能在每每师承时注重出新。如梁氏的白文印“兰生而芳”(图 1－13)，篆法源自汉篆但已参疏密之变化，章法均列但已现胆气冲边，用刀在何震的基础上显现出锋芒内敛而苍浑外溢的特点，充分显示出梁氏的艺术才华。另如朱文印“折芳馨兮遗所思”(图 1－14)，为梁氏代表作。篆取小篆，章法一任自然，若一幅篆书竖幅，用刀冲中带有明显的切刀涩意，整印与当时印风颇有别异，一派婀娜清新之气息，这已是“印从书出”的实践前奏，并由此引发出其后邓石如“以书入印”的篆法理念与“江流有声断岸千尺”等传世佳作。仅此一点，梁千秋在印史上足可“千秋”！

图 1－12

图 1－13

图 1－14

程原与程朴，明篆刻家。程原字孟长，一字六水，休宁(一说歙县)人，寓居湖州。程朴为程原子，字元素。程氏父子对何震篆刻艺术理念与印作极服膺，“白文如晴霞散绮，玉树临风，朱文如荷花映水，文鸳戏波；其摹汉人急就章，如神鳌鼓波，雁阵惊寒。至于粗白、切玉，满白烂铜，盘虬屈曲之文，各臻其妙，秦汉后一人而已”是程原对何震印风的高度评价。程原程朴父子于公元 1626 年(明天启六年)合力完成的《忍草

堂印选》，是他们从收集到的何震所刻的五千余方印石与谱拓中精选一千余方经摹刻后辑印而成的，深得何震神韵，弘扬了何震印风。程原历来对何震的篆刻艺术评价极高，推崇备至，程朴亦倾力摹刻何震原作。观其所摹“俞安期印”（图1－15）、“吴之鲸印”（图1－16）等，识者不难看出其用心之苦，用功之勤，可谓已达神形俱全之境界。也难怪周亮工曾赞叹曰：“予见摹主臣印数十家，而独推程孟长父子。”[①]程氏父子对“雪渔派”的贡献，一是摹刻了从而也就是保存了大量的何震几近原作的篆刻作品，使其传世，为大力弘扬何震印艺做了实实在在的工作；二是在此基础上亦为此派印风的承传光大起到了承先启后的关键性作用。

图 1－15

图 1－16

胡正言（1584～1674）明末清初篆刻家。字曰从，休宁人，寓住南京。胡正言当属篆刻家中之才华横溢、建树颇多者。即使不言其通医术精书画，一生著作甚多，仅就他的版刻代表作《十竹斋书画谱》等，已可使他流芳后世。这样的学者型篆刻家，其艺术态度常是十分严谨的，因而胡氏印艺师法何震平实一路印风而又能运以己意，应属艺理中的事。观其所刻白文印“墨庄老农”（图1－17）与朱白相间印“千花律师”（图1－18），篆法取自汉印，端稳庄朴；刀法以敛驱切，以稳驱冲，锋芒似露非露；章法均匀得当，应规入矩。其印风端庄朴实，严整稳健。胡氏的印风宗法与此派中的金光先颇为近似，皆为师从何震的篆刻艺术理念，即直溯汉印，从而走在了“印宗秦汉”的坦荡大道上。

图 1－17

图 1－18

此流派中的其他篆刻家亦各有所成，如吴晋宗何震而融苏宣，又参以林皋刀法，力探新意（“愧能”，图1－19）；徐上达印承陈茂，当为何震印风的传宗者，他致力于将印学实践上升为印学理论，成就斐然；徐年亦是传宗者，他综合何震与乃师

图 1－19

① 周亮工：《印人传》，载韩天衡编订《历代印学论文选》，第165页，杭州：西泠印社出版社，1999。

吴迥两家之妙，亦有创见（“壶中父”，图 1－20），如此等等。综合此派印风的特点，当为“端古雅健”。

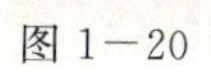
图 1－20

“雪渔派”篆刻家简表

姓名	字号	时期	师承	原籍（寓住地）	简 注
何 震	字主臣，又字长卿，号雪渔	明（1535～1604，一说约1530～1606）	宗秦汉，究六书，承文彭	休宁 婺源（南京）	为“雪渔派”开创者。自刻印成《何雪渔印选》，著有《续学古编》。兼画墨竹。
吴 忠	字孟贞	明	何震	歙县 新安	辑有《鸿栖馆印选》。
吴 迥	字亦步	明（1555～1636）	何震	歙县	刻印辑成《晓采居印印》、《珍善斋印印》。能刻竹。
陈 茂	字子木，号柴中	明	何震	歙县	
徐上达	字伯达	明	陈茂	歙县 新都	著有《印法参同》。
梁 袠	字千秋	明	何震	广陵 扬州（南京）	著有《印隽》4 卷。
韩约素（女）	字钿阁	明	梁袠	（南京）	通音乐。
陈九卿	字辅嗣	明	何震	海阳 休宁	何震表弟。刻辑有《何雪渔印薮》、《陈辅嗣印薮》。
程 基	字仲之	明	何震	海阳 休宁	1612 年将摹刻何震印辑成《何雪渔先生印证》。
何 涛	字巨源，一字海若，号萨奴，别号火莲居士	明	何震	休宁 婺源	何震子。刻有《何萨奴印略》。
刘卫卿	字梦仙	明	何震	休宁	博识古篆。
赵时朗	字天醉	明	刘卫卿	休宁	书画入妙品。
赵 端	字又吕	明	刘卫卿	休宁	
汪以滂		明	刘卫卿	休宁	尤工钟鼎文。
杨士修	字长倩，号无寄生	明	何震	云间 松江	著编有《印母》、《周公谨〈印说〉删》。
金光先	字一甫	明	何震	休宁	1612 年刊有《金一甫印选》，另撰有《印章论》。

续表

姓名	字号	时期	师承	原籍（寓住地）	简注
汪不易		明	何震		
沈千秋		明	何震		
罗伯伦		明	何震		
谭君常		明	何震		
周应麟	字九真	明	何震	秀水 嘉兴	1621 年著《印问》行世。
程原	字孟长，一字六水	明	何震	新安 休宁 歙县（吴兴）	
程朴	字元素	明	何震	新安 休宁 歙县（吴兴）	程原子。程氏父子于 1626 年摹刻何震印拓成《忍草堂印选》。
邵潜	字潜夫，自号五岳外臣	明末清初（1581～1665）	何震	南通（如皋）	1621 年自刻印辑成《皇明印史》。
胡正言	字曰从	明末清初（1584～1674）	何震	休宁（南京）	通书画、医术，精于版刻，十竹斋主人。辑有《印薮》、《印史初集》等。
吴泰和		明末	何震	休宁	
刘生		明末	何震	新安 歙县	
吴正旸	字午叔	明末（1593～1624）	何震	休宁	刻《印可》二卷，1625 年由其侄成书。
汪曼容		明末	何震	歙县	
郑彦平		明末	汪曼容	歙县	
王山子		明末	汪曼容	歙县	
罗公权		明末	王山子	歙县	
沈庆余	字子云	明末	何震	钱塘 杭州	
张休孺		明末	何震		
陈赉	字文叔，号广野	明末	何震	仁和 古越	有十一印被汪启淑辑入《讱葊集古印存》。
文士英	字及先，别署白华老人	明末清初	金光先	金陵 南京	年近八旬能作蝇头小楷。辑有《印原》。
郑基相	字弘佑	明末清初	何震	歙县（南京）	1633 年自刻印辑成《郑弘佑印谱》。

续表

姓名	字号	时期	师承	原籍（寓住地）	简注
全贤	字君求	清初	何震	钱塘 杭州	曾集何印或摹何印成《何雪渔印谱》。
俞珽	字君仪，号筠斋	清（？～1756）	何震	婺源（苏州）	辑有《上渝十六条印谱》。能作指画。
俞庭槐	字拱三，号巩山	清（约1716～？）	何震	嘉兴	摹旧印可乱真。著有《巩山印略》。
强行健	字顺之，号易窗	清	何震	上海	1744年著有《印管》，1749年自刻印辑成《强易窗印谱》，另有《印论》。工诗书画，精医术。
许钺	字锡范	清	何震	歙县	
严煜	字敬安，号云亭	清	何震	嘉定 上海	善山水花鸟与刻竹。
佘国观	字容若，又字颙若，号竺西、竹西，又号石瘿、石痴、吉叟	清	何震	歙县（宛平）	刻印辑有《石瘿印草》。善画兰竹。
吴晋	字进之，号曰三、曰山，别号目山	清	何震	休宁（娄县）	辑有《知止草堂印存》。擅书画，精研小学。
陈渭	字桐野，一作同野，号首亭	清	何震	平湖	工诗书。
金嘉玉	字汝成，号静斋，自号静斋居士	清	何震	歙县 新宁（仁和）	工书。
高积厚	字淳夫	清	何震	钱塘 杭州	著有《我娱斋摹印》、《印辨》、《印述》。工刻竹。
黄坝	字振武，号丙塘	清	吴迥	歙县（杭州）	兼工大小篆及隶书，擅画兰、竹、菊。
万承纪	字畴五，号廉山、廉三	清（1766～1826）	何震	南昌	工诗书画，善鉴别。

续表

姓名	字号	时期	师承	原籍（寓住地）	简　注
沈　皋	字闻天，号六泉，又号竹溪	清	何震	归安	著有《六泉印谱》。
吴　钧	字陶宰，号陶斋，别署玉田生	清	吴迥	华亭 松江	刻印辑有《陶斋印存》，著有《独树园诗稿》、《鼠璞词》。
徐　年	字南武，号渔庄	清	何震、吴迥	娄县 松江	
王蔚宗	字亦显，号春野	清	何震、吴迥		
朱筱衫		清	吴迥		精医术。
沈　沅	字芷庭	清	何震	石门 桐乡	

注：①"简表"所列师承为直接师承、间接师承、私淑。

②"原籍"根据不同文献据实录出，下皆同。

二、苏宣及"泗水派"：阔博厚醇

苏宣(1553～1626后)字尔宣，一字啸民，号泗水，徽州歙县人。

图 1－21

图 1－22

印风：篆法方圆厚重，用刀冲切相济，章法一承汉印法度，平正阔博。印风浑朴雄健。"痛饮读离骚"(图 1－21)是苏宣的代表作之一。赏读此印，对于历来评价他"纵览秦汉玺印，尽得其法"，愈是不疑。此印布局前四字规整，以末字"骚"字生奇。由于"骚"字在印面独占一行，因而结篆时作了大挪位，"蚤"移"马"上，顿使印面新颖夺目，生机盎然。用刀时冲时切，沉稳推进。全印呈现出一派阔博淋漓之美感。"张长君"(图 1－22)为朱白相间铜质印，赏析此印中的朱文"张"字，可略窥苏宣朱文印造诣之深。"张"在篆法上尽得汉篆之韵，若将此字放入汉篆中绝可乱真。由于是金属印，运刀时需力聚腕下，短刀涩进，因而使线条虚实相生，秀雅挺拔。加之"长君"二白文作了并笔处理，产生出浑穆斑斓之效果，这种朱白文强烈的反差对比使得整印愈显浑朴雄健。

创新：①精通六书文字与汉印风规，力争通晓印艺规律，知古求变出新；

②刀法冲中参披。

影响:①在明末印坛与文(彭)、何(震)成三足鼎立之势；

②开创“泗水派”。

“泗水派”篆刻名家：

程远，明篆刻家。字彦明，江苏无锡人。印风刚健雅儒，并精于印学，择秦汉印及明人篆刻精品于万历三十年(1602年)摹刻成《古今印则》4卷，末附《印旨》1卷行世，皆具己见。苏宣、梁袠为其校定，董其昌等为之序、跋。对于程远所刻“云天抗真意”白文印(图1－23)，站在宏观的角度上赏析，一望便知他是取汉铸印格局，这表现于篆法规整，章法匀称方面。但细观之亦有其用心之处，这则是表现在布局上。此印五字呈“三二”格局，右行三字占印面二分之一略强些，左行二字占印面二分之一略弱些，这样的处理结果是字形顺其自然地呈现出方、扁、长各种形状，这种无意变化而实已变化的效果，应为此印的“平”中之“奇”处，加之刀法直追汉铸印涩朴之意，愈使得整印汉韵充盈。程远另有“江上客”一印(图1－24)，篆、刀、章法与上述“云”印相较已有所变化，即已注重参以己意，特别是此印刀法以冲为主，线条粗细有别，章法疏密对比明显，表现出程远既注重立足汉法，又力求有所变化的探索。有趣的是，若将程远此两方印分别与苏宣印作“字夷令”(图1－25)、“留心山谷”(图1－26)相较，程曾受到苏的影响便可一目了然。

图1－23

图1－24

图1－25

何通，明篆刻家。字不违，又字不韦，江苏太仓人。他曾是大学士王锡爵家之世仆，乃得机会广见古物，博闻学问。篆刻师法苏宣而上溯秦汉，能得秦汉印之神韵。刀法劲朴，章法自然，印风古健。他受古玺印启发，从秦代李斯至元代董传霄，选取历史人物姓名刻印共500余方，人物皆附小传，于天启三年(1623年)辑成《印史》6卷，苏宣等为之撰序，甚为推

图1－26

图 1－27

图 1－28

图 1－29

崇。何通篆刻能同得苏宣与秦汉印之神。观他所刻“不看人面免低眉”白文印(图 1－27),篆法拟是将秦印意味化入小篆之中;用刀冲切相济,一如苏宣;章法匀停而不失灵气,整印具有秦汉风味但同时也散发出一股清灵之气,这便使他在同时期师秦汉者中颇显突出。他的朱文印“词人多胆气”(图 1－28),拟多得意于汉封泥印,篆法方圆兼具,刀法畅中含涩,章法流落自然,边栏以虚显实。何通此类印作在其同时期的朱文印中亦颇显眼,主要因素还是他印中的清新气息。

徐东彦,明末篆刻家。字圣臣,号檀庵道人,浙江嘉兴人。篆刻取法苏宣,常以古文句入印,刀法浑朴,章法虚实相映,印风苍古中寓灵动。崇祯十四年(1641 年)辑有《徐氏石简》4 卷行世。徐东彦篆刻传世只见“妓逢红拂客遇虬髯”(图 1－29)一方白文印。苏宣曾尝试以古文字入印,并有“我思古人实获我心”、“深得酒仙三昧”等印传世。徐东彦此印正是继承乃师此路印风,篆法取自古玺等古文字,短刀涩进,冲切相济,章法一如苏宣布篆之法,将古文字适度收放至长方形框架内,再如秦汉印印面一样列置,字是字,行是行,八字呈四行,每行两字,应规入矩。这方印给人的整体感觉,是将古玺与秦汉印整合后的效果,收而放,静而动,朴而雅,古而新,且印、款俱精。徐东彦印名赖此孤品得以流传后世,足可使印人们深思良久。综合此流派印风特点,当为“阔博厚醇”。

“泗水派”篆刻家简表

姓名	字号	时期	师承	原籍(寓住地)	简 注
苏 宣	字尔宣,一字啸民,号泗水	明(1553～1626 后)	师文彭,参何震,远规秦汉	歙县	1617 年刻印拓《苏氏印略》4 卷。为“泗水派”开创者。善击剑。
程 远	字彦明	明	苏宣	无锡	1602 年汇摹印成《古今印则》4 卷,末附《印旨》1 卷。善书。

续表

姓名	字号	时期	师承	原籍（寓住地）	简　注
姚叔仪		明	苏宣		摹刻之印后被陆龙于1607年辑成《片玉堂集古印章》。
何　通	字不违，又字不韦	明末	苏宣	太仓	1623年辑成《印史》6卷。
顾奇云		明末	苏宣		
徐东彦	字圣臣，号檀庵道人	明末	苏宣	嘉兴	1641年辑有《徐氏石简》4卷。
程士颛	字孝直	清初	苏宣	嘉定 上海	辑有《程孝直印籍》。

三、汪关及“娄东派”：俊爽典雅

汪关(约1575～1631)原名东阳，字杲叔。万历四十二年(1614年)因得一枚汉“汪关”铜印，遂更名汪关，后又改字尹子。徽州歙县人，寓居娄东(今江苏太仓)。

印风：篆法精细清秀，婉转多姿；刀法以冲刻为主；章法师汉印平整规矩一路；印风工稳雅妍，平和俊丽。汪关汲取文彭秀雅一路印风的特色而又直溯汉印，为明人追汉法的开创者，亦为明时工稳印风第一人。汪关所刻“善道”朱文印(图1－30)，可谓直得汉印之神。此印篆法笔笔精严，恬静婉畅，运以冲刀稳而果敢，线条挺而流动。线条交接处存有“圆结点”，这既成为汪关印风的特色所在，又增加了装饰趣味，章法一丝不苟而又富于变化。整印工而秀，遒而雅。白文印“张维申印”(图1－31)放入汉印中必可乱真。此印篆法精严，刀法挺洁，布局匀停。“申”中间一竖取“S”型走向，有点睛之妙，顿使全印精整中寓流动。观汪关之印，可尽得平和俊丽之美感。

图1－30

图1－31

创新：①为明代工稳印风第一人；

②朱文印线条交接处存有“圆结点”，使妍丽之中添厚意。

影响：①刻印尤多，明末书画家之印多出其手；

②开创“娄东派”。

“娄东派”篆刻名家：

汪泓，明末篆刻家。字宏度，歙县人。汪关子。汪泓篆刻承其父，印风俊爽雍容。汪关父子有“大、小痴”之称，人比之书坛羲、献。“兴仁之印”白文印(图1－32)，为汪泓所刻。此印中“兴”字相对“仁之印”三字笔画较繁，汪泓就采用删繁就简的方法灵活对待，将“兴”上部中间“同”中的“口”字以一竖代替，笔不到而意到，这种篆法处理，拟是取自汉缪篆意韵，用刀凝神静气冲而为之，布局以笔画繁的“兴”字占印面略多些，但能与其他三字相谐处之，于此已见汪泓厚实的篆法功力。他所刻朱文印“古照堂”(图1－33)，篆法秀雅严整，冲刀婉转自如，章法详安爽俊，印风和谐自然。汪泓篆刻的可贵之处在于他既能承家法，又善于灵变而出新意。

图1－32

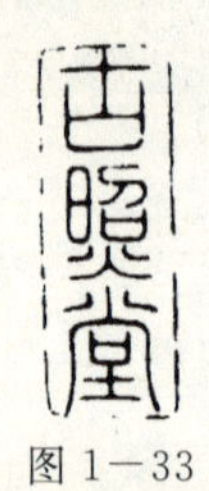

图1－33

沈世和，清初篆刻家。字石民，江苏常熟人，寓居苏州。篆刻师汪关，并能不拘成法。篆法灵动，用刀稳健，章法自然，印风明快。1721年、1722年辑自刻印成《八味山房印谱》、《虚白斋印谱》。他所刻“家在菱湖橘社之间”(图1－34)、“石阑斜点笔桐叶坐题诗”(图1－35)两方白文印，是取汉篆之韵，并敢于在端整中参以取舍变化，刀法、章法颇近汪关，以冲刀法为主，布局稳健匀停。观赏沈氏印作总是能给人一种诗情画意般的感觉，这种感觉也正是他印风的特色所在，诗情来自于其入印字句的文雅之气，画意则来自其印中粗细对比强烈的篆字与笔画搭配后所产生的轻重变化的节奏感，如两印中“在”、“社之间”、“石”、“坐”等字的壮厚与“菱”、“阑”、“题诗”等字的清秀的对比生趣，使沈氏印风显得灵动而明快。

图1－34

图1－35

林皋(1657～?)清篆刻家。字鹤田，一字鹤颠，更字学恬，福建莆田人，寓居常熟。其印篆法稳谨，刀法挺劲，章法典雅，印风清新。为当时名书画家、收藏家治印颇多。刻印辑有《宝砚斋印谱》、《林鹤田印谱》。林皋篆刻取法沈世和，且能愈加呈现出汉印工整秀丽的风格。他所刻“林皋之印”(图1－36)

图1－36

当属宗法汉印中满白文一类，篆法规整丰腴，以冲刀就石，笔画光洁挺劲，布局任其自然繁简而又能疏密恰当，整印净洁中蕴雅妍，精致外透灵动，可谓古雅清新之致。他所刻朱文印“晴窗一日几回看”（图 1－37），篆法融铁线篆与元（圆）朱文为一体，字字匠心别具，运刀神凝精到，腕活韵畅，布局疏密有致，大小错落，印文与边栏的断连精心安排且又极显自然。总之，明净利落，古雅流畅应是林皋印风的特色。

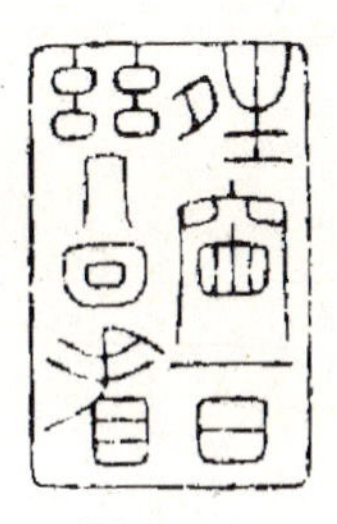

图 1－37

图 1－38

此流派中的孔千秋宗汪关而又白文溯汉，朱文宗元，印风秀挺（“寄妙理于豪放之外”，图 1－38）；花榜宗汪关娟秀一路而能寓以拙味（“礼道不倦”，图 1－39）；黄学圯宗汪关亦能参以肆意（“二十八宿罗心胸”，图 1－40）。概览此流派印风特色，可谓“俊爽典雅”。

图 1－39

图 1－40

“娄东派”篆刻家简表

姓名	字号	时期	师承	原籍（寓住地）	简 注
汪 关	初名东阳，字杲叔，后更名汪关，改字尹子	明（约 1575～1631）	宗汉印、文彭、宋元朱文印	歙县（娄东）	1614 年刻印辑成《宝印斋印式》，另辑有《印式》数种。明代工稳印风第一人。为“娄东派”开创者。
汪 泓	字宏度	明末	汪关	歙县	汪关子。
沈世和	字石民	清初	汪关	常熟（苏州）	工书画。1721 年、1722 年辑自刻印成《八味山房印谱》、《虚白斋印谱》。
林 皋	字鹤田，一字鹤颠，更字学恬	清（1657～?）	沈世和	莆田（常熟）	刻印集有《宝砚斋印谱》、《林鹤田印谱》。又有人将其归称为“扬州派”。
孔千秋	原名广居，号山桥、尧山、瑶山，更名千秋	清（1733～1812）	汪关	江阴	著有《玉堂印谱》等。古文字学家、书法家。
花 榜	字玉传	清	汪关	长洲 苏州	究六书，好声律。
黄学圯	字孺子，号楚桥	清（1762～?）	汪关	如皋	1797 年成《历朝印史》10 卷，1826 年成《楚桥印稿》，另撰有《东皋印人传》。

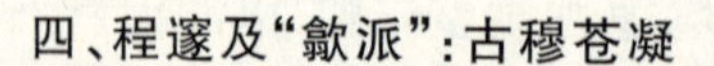

四、程邃及“歙派”:古穆苍凝

程邃(1605～1691)明末清初篆刻家。字穆倩,号垢区、朽民、青溪,别号垢道人、江东布衣等,徽州歙县人,晚年寓居扬州。

印风:篆法上注重笔意生动,朱文印喜用大篆,用刀以小切刀与冲刀法为主,章法布局一任自然之势。印风古穆苍雅,气格壮伟。程邃所刻白文印“郑簠之印”(图1－41)为其精探汉法的代表作之一,此印篆法一源于汉之规矩,其用心重点表现在笔画的处理上,施以轻重之笔而见于粗细之变,刀法以冲为主,力现笔意,章法一依篆字笔画之繁简,均地布局而自然呈现出左密右疏、对比强烈的视觉效果。程邃此类白文印汉法在胸而善于变化,印风古穆而苍雅。他所刻朱文印“床上书连屋阶前树拂云”(图1－42),在篆法上一变其时风气,采用形态古奥的大篆入印,并大胆在线条中参以多处弧线,平添了几分小篆意味,短切碎刀使得线条能涩畅有度,在章法的处理上更是独有匠心,他采用归纳、增删等手法将大篆的参差之势适度削弱而力近小篆规范形态,巧使笔画少的“上”字几成“一”字而少占印面,这就易使整印章法在宏观上形成纵三横三的规则布局,印边汲取古玺边框粗犷之意,与印文形成鲜明对比,程邃此类朱文印风堪称古而奇、变亦新。

图1－41

图1－42

创新:①合大小篆与钟鼎款识之字入印,于文、何之外别树一帜;

②刀法富有笔意。

影响:①开创“歙派”;

②为“歙四子”之首。

“歙派”篆刻名家:

汪肇龙(1722～1780)清篆刻家。字稚川,号松麓,徽州歙县人。所刻篆法古拙,刀法浑穆顺畅,章法朴实灵动。曾游学于江永之门,精于古文字考辨。“尚书郎印”(图1－43)是目

图1－43

前仅见的汪肇龙传世印作。汪肇龙篆刻承程邃而能思变，溯秦汉而能得其神，“尚书郎印”便是他宗法汉铸印一路风格之所得。细析此印篆法在宗汉基调上拟是参入了些许隶意，线条粗细搭配以横画较多的“书”字尤明显，这样处理不但不显突兀反倒生出了几分稚拙之趣。还是因为有隶意的缘故，此印章法愈显方正朴实，加之用刀切冲结合拙多于畅，因而又时时透露出凝重浑穆之气，使全印浑厚中寓灵动，拙涩处见疏朗。汪肇龙印风的形成与他的人生艺术经历有关，他因家境贫寒以刻印维持生计，这易使他的印作中留下些许通俗直白的醇拙因子；又因他师从江永终成学识丰富的学者，这又在他的印作中注入了古雅之气，诸如此般的融会贯通，成就了汪肇龙“古雅醇拙”的印风。

黄吕，清篆刻家。字次黄，又字克吕，号凤六山人，徽州歙县人。印风隽雅朴茂。作画自题诗，自刻印钤之，时人誉其为“四美并具”。黄吕篆刻力追秦汉遗风，观其所刻“无心到处禅”印(图1—44)应是一例；他同时又十分服膺程邃，观其所刻“天君泰然”印(图1—45)亦是一例。“无心到处禅”宗汉满白文印之法，篆法工整中有灵变，如“无”中竖挪位与“处”笔画的简化处理，刀法以冲为主略带切意，章法以印字笔画繁简自然布局而能持“度”恰当，整印稳端浑朴。他所刻朱文印“天君泰然”颇近程邃印风，篆法上同是取大篆入印，章法处理上同是减弱大篆参差之态而将印字规则排列，黄氏此印施以“田”字格将四字独立均衡占格。黄吕与程邃最为明显的不同之处是在用刀方面，程氏短切碎刀线条有涩有畅，而黄氏则基本用冲刀力现流畅之意，这样做的结果是其印作与古玺相较形近意远，形古韵新，亦称别有一格。

图1—44

图1—45

巴慰祖(1744～1793)清篆刻家。字予藉，又字子安、隽堂，号晋唐、鱼辑，又号莲舫，徽州歙县人。其印篆法灵动巧思，刀法工致挺秀，章法精整自在。印风古茂娟秀。乾隆三

图 1－46

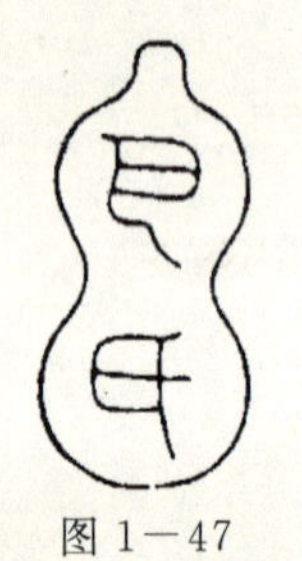

图 1－47

图 1－48

图 1－49

图 1－50

十九年(1774 年)从同乡金榜处得明顾汝修《集古印谱》,从中选摹 230 方成《四香堂摹印》,并辑有《四香堂印余》、《百寿图印谱》等。巴慰祖篆刻初期受程邃影响较大,《四香堂印余》第 7 册就收录有他摹刻的程邃名印 47 方。但他善学善变,逐步走上了远追秦汉、近法宋元的路子。程邃以大篆入朱文印,巴氏则以大篆作白文印,如"董小池"印(图 1－46),篆法纯取大篆,刀法浑朴灵变,布局自然散落,"小池"之间的大片留红顿使疏密对比之美跃然纸上,整印深得古玺之精髓。巴氏近法宋元之作体现在他所刻的诸如"下里巴人"一类朱文印中,如"巴氏"印(图 1－47)以端庄雅妍的小篆入印,用刀工致挺秀,线条凝练光洁,布局以葫芦样为边框,曲线秀丽可人,"巴氏"二字相对独立又能互为呼应,整印典雅清新,气息通畅。

胡唐(1759～1826 后)清篆刻家。又名长庚,字咏陶,又字子西、西甫、寿客,号樗园、宰翁,别署木雁居士、城东居士,徽州歙县人。为巴慰祖外甥,学有所承,并能融秦玺汉私印之韵。篆法清朗规范,刀法细腻劲挺,章法端庄平正。印作收入《还香楼印谱》。胡唐所刻"树谷"白文印(图 1－48),在大格局上是宗溯秦汉印中之"四灵印"章法,篆法则是纯取汉印,运刀细腻精到,爽畅不滞,可谓小印中溢大气,浑穆中含疏朗,当为其白文印代表作之一。他所刻朱文印"藕花小舸"(图 1－49),篆法源自秦小篆,运刀浅入轻冲,腕活刃灵,布局四字均分印面,自然形成右上左下角较密,左上右下角较疏的对角疏密关系,寓变于不变之中,整印若小舟漾水,轻灵雅逸之致。胡唐篆刻承其舅巴慰祖遗绪,为"歙四子"中最晚出的一位,观其印风可谓"工稳遒雅"。

此流派中吴万春步其岳丈(程邃)法,所刻颇见巧思("水绘庵昌巢民真赏",图 1－50);高翔师程邃溯汉法且能以画入印,印作不尚纤巧,构思谨严,印风蕴藉朴茂("怡颜堂图书",

图 1—51)；项怀述白文印章法颇近程邃朱文布局，且能尝试以隶法入篆法，所作古厚敦朴(“文章江左烟月扬州”，图 1—52)；吴文征雅近程邃又能极意摹古，印风趣古遒媚(“友多闻斋图书印记”，图 1—53)；赵丙械神近程邃，力超时流，印风苍劲古拙(“桃红复含宿雨柳绿更带朝烟花落家童未扫鸟啼山客犹眠”，图 1—54)，如此等等。综观此流派印风，可概之以“古穆苍雅”。

图 1—51

图 1—52

图 1—53

图 1—54

“歙派”篆刻家简表

姓名	字号	时期	师承	原籍（寓住地）	简注
程邃	字穆倩，号垢区、朽民、青溪，别号垢道人、江东布衣	明末清初(1605～1691)	古玺汉印、古文字等	歙县（扬州）	擅诗书画，长于金石考证，富收藏，精医术。“歙四子”之首。“歙派”开创者。
吴万春	字涵公	清初	程邃	黄山 歙县	程邃婿。
翁陵	字寿如，号磊石山樵	清初	程邃	建安 建瓯	工诗书。
程以辛	字万斯	清初	程邃	歙县	程邃子。
童昌龄	字鹿游	清(约 1650～?)	程邃	义乌（如皋）	工书画。1708 年辑自刻印成《韵言篆略》，又有《印史》。
高翔	字凤岗，号犀堂，又号樨堂、西唐、西堂，别号山林外臣	清(1688～1753)	程邃	甘泉 扬州	工诗书画。
项怀述	字惕孜，号别峰	清(1718～?)	程邃	歙县	1776 年钤辑自刻印成《伊蔚斋黄山印薮》，1780 年著有《隶法汇纂》。
汪肇龙	字稚川，号松麓	清(1722～1780)	程邃	歙县	精于古籀文。著有《石鼓文考》。“歙四子”之一。
王燮	字理堂，号小山	清	程邃	芜湖	刻印辑有《理堂印谱》。
方成培	字仰松，号后岩	清	程邃	歙县	工古文词曲。刻印辑有《后岩印谱》。

续表

姓名	字号	时期	师承	原籍（寓住地）	简注
吴文征	字南芗	清	程邃	歙县（吴下）	工诗书画。
赵丙棫	字圣木，一字芃若，又字仰才，号养拙居士	清	程邃	绍兴	好藏古书。
黄　吕	字次黄，又字克吕，号凤六山人	清	程邃	歙县	工诗书画。
黄宗绎	字仲凫	清	黄吕	歙县	擅汉隶。
巴慰祖	字予藉，又字子安、隽堂，号晋堂、鱼槑，又号莲舫	清（1744～1793）	程邃	歙县	工书画，好收藏。辑有《四香堂印余》、《百寿图印谱》。“歙四子”之一。
胡　唐	又名长庚，字咏陶，又字子西、西甫、寿客，号樗园、宰翁，别署木雁居士、城东居士	清（1759～1826后）	巴慰祖	歙县	巴慰祖外甥。工诗书。印作收入《还香楼印谱》。“歙四子”之一。
汪思源	沂川，素翁	清	胡唐	歙县	
程锦澂	月坡	清	巴慰祖、胡唐	歙县	
巴树谷	字孟嘉，又字辛祈，号艺之	清（1767～1800）	巴慰祖	歙县	巴慰祖子。善书法，精音律。著作颇多。印作收入《还香楼印谱》。
巴光荣	小孟	清	巴树谷	歙县	巴树谷子。
巴树烜	字煦斋	清	巴慰祖	歙县	巴慰祖子。印作收入《还香楼印谱》。
钱　泳	初名鹤，字立群，号台仙，又号梅溪，别署梅华溪主人	清（1759～1844）	程邃	金匮 无锡	工诗书画，精刻碑版。1835年刻印辑成《履园印选》。
张　井	字铁耕	清	程邃	江宁 南京	

五、邓石如及“邓(皖)派”:刚健婀娜

邓石如(1743～1805)原名琰,字石如。入嘉庆朝避帝颙琰讳,即以字行,更字顽伯,号完白、古浣子、完白山人、龙山樵长、凤水渔长、笈游道人等,安徽怀宁人。

印风:篆法融汉碑额及唐李阳冰篆书等成“邓篆”入印,笔意盎然,用刀以冲刀法为主,章法婉畅淳穆。邓石如所刻“意与古会”朱文印(图1－55),是他的代表作之一。篆法是他特有的“邓篆”,意趣洒脱;用刀以长冲为主,刃留涩意,线条圆润流走,一任酣畅;章法三密一疏,是邓氏一贯主张的“密不容针,疏可跑马”布局理念的体现。而“会”上部三角形呈方意,与余下三字中部分椭圆形半圆形结构所形成的鲜明的方圆对比,又是他“规之所以为圆”、“方之所以为矩”的方圆通会理念的实际运用,整印一派刚健婀娜之风貌。邓石如的白文印“在心为志”(图1－56)以竹根刻得,然观其印其款则是金石味十足。此印篆法一如上述朱文印,纯以“邓篆”入印,灵气四溢,以刀代笔,随心长冲,章法潇洒婉畅,整印起伏跌宕,生机勃勃。印坛历来皆以“刚健婀娜”概括邓石如的印风,确是一语中的。

图1－55

图1－56

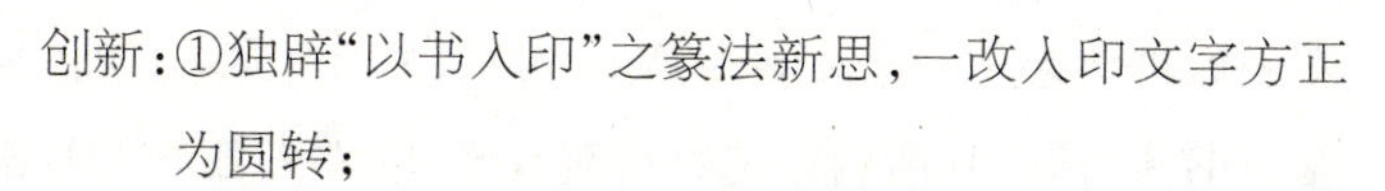

创新:①独辟“以书入印”之篆法新思,一改入印文字方正为圆转;

②提出“计白当黑”章法新思路等等。

影响:开创“邓(皖)派”。

“邓(皖)派”篆刻名家:

包世臣(1775～1855)清书法篆刻家、理论家。字诚伯,号慎伯,晚号倦翁,安徽泾县人。邓石如入室弟子。书印皆宗乃师,篆刻谨守师法。其著书论《艺舟双楫》为后世推重,文中对邓石如书法予以高度评价。“包慎伯氏”(图1－57)为包世臣所刻。此方朱文印篆法纯得自其师,并能力追圆润婀娜之风,如“包”之外包围、“慎”中之“目”、“伯”右边“白”,皆被处理成

图1－57

图1－58

圆与椭圆形，甚至“氏”的左画亦处理得几乎成为圆形，这种形态处理手法亦酷似乃师，用刀以冲为主，章法自然分布。综观此印，可得圆润酣畅之感。其所刻白文印“世臣之印”（图1－58）亦是力求以书入印，篆法意畅流走，刀法长冲直下，章法婉转灵动。综观包氏印作，一派乃师之风。

图1－59

邓传密（1795～1870）清书法篆刻家。字守之，号少白，安徽怀宁人。邓石如子。篆刻承其父，以书入印，刀法酣畅，章法灵稳。“约轩过眼”（图1－59）是邓传密所刻白文印。此印篆法以书入印，丰腴圆润，且有汉味，用刀婉转自如，一冲为快，布局圆中含方，右二字尤其是右下角留红较多，使得全印平中见变，派生出端稳溢灵之气。朱文印“槃庐”（图1－60）为其晚年所刻，篆法工稳端秀，揖让相辅，用刀凝神正冲，愈见老辣，布局两字均列，将“槃”左上部末笔左盼与“庐”右长画右顾，形成二字彼此呼应之势，全印气韵通畅。观邓传密印作，承其父且变化有度，书意盎然。

图1－60

吴让之（1799～1870）清书法篆刻家。原名廷飏，字熙载、让之，别号让翁、晚学居士、晚学生、方竹丈人。道光元年（1821年）避帝讳以让之行。江苏仪征人。包世臣弟子，亦为邓石如再传弟子。篆刻始从汉印入手，后专宗邓石如。吴氏精研书法，他以其清丽妍美之小篆入印；在邓石如冲刀基础上参以披削之法，以刀代笔，章法疏朗有致，刚柔兼之。印风优雅而洗练，质朴而灵动。后人学邓多取径于他。“梅花东阁竹西亭”（图1－61）为吴让之所刻白文印，亦是他的代表作之一。吴氏配篆时具有横画重竖画轻的特点，用以变化笔画的节奏。其篆法方圆刚柔相济，用刀以冲为主调，辅之以切、披之法，劲韧利落，章法均布稳当，轻灵精致，全印笔意充盈，灵动秀雅，犹如一幅袖珍篆书立轴。“震无咎斋”（图1－62）为吴氏朱文印精品之一。篆法秀逸多姿，轻快流畅，冲刀之法运用得娴熟轻快，如行云流水，笔意历历在目，四字以“一二一”

图1－61

图1－62

式布局，使笔画繁的“震”、“斋”二字各占一行，充分舒展其姿，中间一行将笔画繁的“无”以简体入印，使整印章法空灵而协调，观此印可谓婀娜灵灵，飘逸畅畅，清秀多姿。

吴咨(1813～1858)清篆刻家。字圣俞，号哂予，常州人。印宗邓石如并能得其神韵。在篆法上时参金文作古玺，刀法稳健，章法灵新。吴咨所刻“适园”白文印(图1－63)，一见便知是承传邓石如遗风。此印以小篆入印，笔意颇浓；冲刀稳健，线条浑朴；章法颇见特色，上部有字处大白大密，下部无字处大红大疏，又将“适”之“走”末笔末端下垂处理成一小弧线，一破下部长方形布红，从而与上部有机意融，此笔可谓大胆之笔，此印亦谓大胆布局。观全印疏密对比强烈，圆润浑厚皆有。吴氏所刻朱文印“人间何处有此境”(图1－64)，篆取汉金文字，简约古雅，篆隶之意兼得，用刀醇稳苍朴，线条凝练，布局疏落自然，常中有奇，全印意趣清新。观吴咨之印，给人以古雅新灵之感。

图1－63

图1－64

徐三庚(1826～1890)清篆刻家。字辛谷，号井罍、金罍等，别署荐未道士、余粮生等，浙江上虞人。篆刻始师浙派陈鸿寿、赵之琛，后以邓石如、吴让之为师。篆法飘逸多姿，“吴带当风”；用刀切冲皆速，酣畅淋漓；章法聚散有致，揖让互应。其刻行楷边款遒劲舒展。徐三庚小篆舒展飞动，正因为如此，他以书入印后的篆法个性鲜明。他所刻朱文大印“禹寸陶分”(图1－65)，篆法舒展委婉，方圆相辅，劲健飘逸，运刀切含冲意，线条爽快淋漓，章法聚散对比强烈，揖让互应融融，如“陶”右下部曲线向下延展，一是与“分”呼应，二则加密了“分”右部的空间，从而与“分”左上方大片空白形成醒目的疏密关系，堪称巧布。全印真谓秀美飞动，笔意满目，豪气四溢。他所刻的白文印“褚成博印”(图1－66)，篆法亦是他的“徐篆”，运刀短切而能生出灵动，笔画顿挫而能立现笔意，布局疏密安排别见匠心，全印飘逸秀拔。徐氏印风，秀美健逸，余味无穷。

图1－65

图1－66

图 1－67

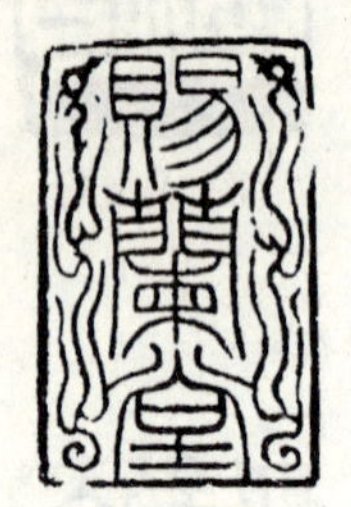

图 1－68

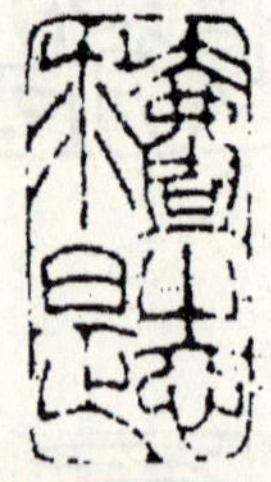

图 1－69

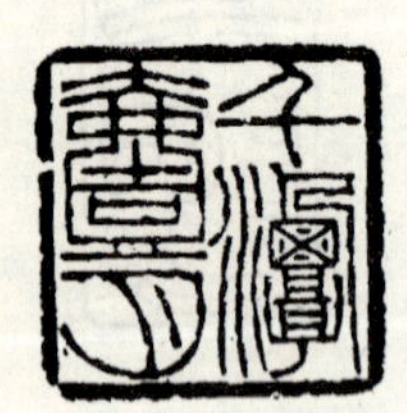

图 1－70

图 1－71

赵之谦(1829～1884)清篆刻家。字益甫，又字㧑叔，号冷君、悲庵、无闷、梅庵等，别署思悲翁等，浙江绍兴人。篆刻始从浙派入手，后受邓石如影响至深。篆法广采博取，兼收并蓄，融会贯通，姿态纷呈；刀法钝锐并用，拙朴奇宕；章法疏密呼应，对比强烈。他首创以魏碑入款，以阳文刻款，以汉画入款，丰富且拓展了边款艺术领地。“汉学居”(图 1－67)是赵之谦所刻白文印代表作之一。此印篆法融会汉印汉碑笔意，厚重遒劲，用刀冲切锐钝并用，线条涩畅两兼，章法大胆且大方，右密左疏，四周留有红色宽边，朱白对比强烈，其布局用心处还在于，“居”首画下压，使左上方留红与“学”右下方“子”右留红对应，使印面疏密处既醒目又活泼。全印端庄酣朴，虚实相辅。赵氏小篆取隶魏笔意，他以此篆入“赐兰堂”朱文印(图 1－68)，可谓挺拔秀丽，风骨峻峭，用刀且冲且切，线条老辣稳健，在章法方面，印面左右饰以双龙，且印文与龙形有机融为一体，如“堂”上部两点就直接与龙形相连。整印自然造势，不加修饰，畅达苍莽。赵氏篆刻博取兼融，姿态纷呈，可谓峭畅清新。

此流派篆刻家中，程荃为邓石如同乡，得师之传可谓近水楼台，其印清雅可人(“一志求是”，图 1－69)；杨沂孙篆刻篆法尤近邓氏，又能融会大小二篆，其刻畅涩皆具(“千潭一月”，图 1－70)；何栻朱文印篆法刀法皆承邓氏，章法方面则有自家奇思(“何时一樽酒”，图 1－71)；沙爽白文印尽得邓氏神采，所作婀娜如诗(“墨缘”，图 1－72)；王尔度十分崇拜邓石如，其印作亦一承乃师，应规入矩(“归安姚勤之印”，图 1－73)；吴雪桥所刻以书入印，一望而知其邓氏渊源(“一寒至此”，图 1－74)；徐中立白文印一气冲成，有笔有墨，圆润流畅(“群玉山人”，图 1－75)，如此等等。综观此流派印风特色，终归创立者邓石如，“刚健婀娜”。

“邓(皖)派”篆刻家简表

姓名	字号	时期	师承	原籍（寓住地）	简注
邓石如	原名琰，字石如，更字顽伯，号完白、古浣子、完白山人、龙山樵长、凤水渔长、笈游道人等。	清(1743～1805)	梁袠、程邃，以书入印	怀宁	精书法。后人辑其刻印成《完白山人篆刻偶存》、《邓印存真》等多种行世。“邓(皖)派”开创者。
包世臣	字诚伯，号慎伯，晚号倦翁	清(1775～1855)	邓石如	泾县	工书。著有《艺舟双楫》等。
邓传密	字守之，号少白	清(1795～1870)	邓石如	怀宁	邓石如子。工诗书。
程　荃	字蘅衫	清	邓石如	怀宁	工山水。著有《篆隐园集》。
吴让之	原名廷飏，字熙载、让之，别号让翁、晚学居士、晚学生、方竹丈人	清(1799～1870)	邓石如、包世臣	（仪征）	工书画，精考据。后人辑有《吴让之印存》、《师慎轩印谱》等多种行世。
杨沂孙	原名瀚，字子舆，号泳春，晚号濠叟	清(1812～1881)	邓石如	常熟	工书文。著有《完白山人传》、《说文解字序》等多种行世。
吴　咨	字圣俞，号哂予	清(1813～1858)	邓石如	武进 常州	工书画。1850年有王氏辑其刻印成《适园印存》。
何　栻	字廉昉	清(1816～1872)	邓石如		
沙　爽		清	邓石如		
高尔庚	字星仲，号曼孙、学顽	清	邓石如	泰州	工书。

图 1—72

图 1—73

图 1—74

图 1—75

续表

姓名	字号	时期	师承	原籍（寓住地）	简注
鲍桂孙	字古香	清	邓石如	黟县	工书。辑著有《仿汉印谱》、《四箴心箴印谱》等。
吴育	字山子	清	邓石如	吴江（常州）	工书画。著有《私艾斋文集》。
朱铉	字震伯	清	邓石如	江都 扬州	工书。
胡澍	字亥甫，一字甘伯，号石生，又号甘石、丹伯	清（1825～1872）	邓石如	绩溪	工书文。著有《说文解字部目》等。
徐三庚	字辛谷，号井罍、金罍等，别号荐未道士、余粮生等	清（1826～1890）	邓石如、吴让之	上虞	工书。刻印辑有《金罍山民印存》、《似鱼室印谱》等。
赵之谦	字益甫，又字扐叔，号冷君、悲庵、无闷、梅庵等，别署思悲翁等	清（1829～1884）	邓石如	会稽 绍兴	工诗文书画。"赵派"开创者。1863年魏锡曾辑其刻印成《二金蝶堂印谱》，自著有《赵扐叔花卉册》等多种。
王尔度	字顷波	清末（1837～1919）	邓石如	江阴	工书。1872年摹邓印成《古梅阁仿完白山人印剩》，1892年又辑成续编。
张祖翼	字逖先，号磊庵	清末（1849～1917）	邓石如	桐城	工书画，好收藏。西泠印社早期社员。辑有《张逖先刻印》等。
吴雪桥		清末	邓石如		
史焕	字仲晨	清末	邓石如、吴让之、徐三庚	吴江（京师）	
言朝鼎	字卓山	清末	邓石如	常熟	擅画松竹。1892年辑自刻印成《言卓山印存》。
李宗泰	字峻山	清末	邓石如	常熟	
靳理纯	字健伯，一字键白，别号小岘山人	清末	邓石如	合肥	工书。

续表

姓名	字号	时期	师承	原籍（寓住地）	简　注
靳润云	字少伯	清末	邓石如、靳理纯	合肥	工书。靳理纯子。
徐中立	一名立，字德卿	清末（1862～?）	邓石如	江宁 扬州	能制印泥。1885 年刻印辑成《斐然斋印存》、《德卿印存》。
潘强斋	号天马山人	近代	邓石如	怀宁	邓石如为其外高祖。著有《强斋印谱》。
程永康	字载言	近代	邓石如	婺源	

六、黄士陵及"黟山(粤)派":光洁峻挺

黄士陵(1849～1908 后)字牧甫,又作穆甫、穆父,晚年别号黟山人、倦叟、倦游窠主等,徽州黟县人,曾寓居广州等地。

印风:篆法上溯吉金文字并以大篆入印,奇逸生趣;擅用薄刃冲刀法;章法动中寓稳,平奇相生。黄士陵所刻"椒堂"白文印(图 1－76),篆法源于汉,尤是汲取了汉金文笔意,以直线条为主调来构篆,简洁而平朴,由于他是持"光洁峻挺乃汉印本来面目"的审美理念,因而在刀法上,以薄刃冲刀来表现线条劲挺光洁的效果,其章法初看平正,皆为竖直横平,但黄氏有平中造奇的本领,此印中间、左上角、右上边与下边留红恰到好处,加上"堂"上部三点的变化、左右两长竖的伸缩粗细布置,使印面正中生奇。全印寓巧于拙,蕴动于静,且画意盎然。他所刻"金寿室"朱文印(图 1－77),在汉金文中取篆法,笔画简约,薄刃轻行,线条韧朴,布局时以几何形化平直,如"金"上部三角形,"寿"、"室"中部半圆形,此印的神来之笔当为"寿"右下一小竖的弧形处理,使印面顿生左右顾盼之势,堪称奇构。综观黄氏印风,"光洁峻挺"应是其主格调。

图 1－76

图 1－77

创新:①以三代吉金大篆入印;

②薄刃冲刀还汉印以光洁峻挺之本来面目。

影响:①开创"黟山(粤)派",对岭南篆刻的发展有大贡献;

②为近代以来印坛"工稳"印风代表人物。

"黟山(粤)派"篆刻名家:

易孺(1874～1941)近现代书画篆刻家。原名廷熹,后更名孺,字季复,号大厂、大厂居士,又号韦斋、魏斋、孺斋、孺公等,广东鹤山人。早岁肄业于广雅书院。精篆刻,受黄士陵熏陶尤深,所刻直逼古玺汉印之韵。篆法灵变且统一,刀法信手又持度,章法生熟常相参。与李尹桑合辑《秦斋魏斋玺印合稿》。易大厂所刻"大厂居士孺"白文印(图1－78),其篆法之源应是汉篆,只不过经他手进行了大胆的改造,而"孺"左之"子"则取古玺形味,其用刀亦源自汉,是汉将军印急就章式的运刀,他用的是钝刀,因而线条浑朴而自然。此印在章法方面尤显出他的才华和魄力,文字全都集中布置在印面的中上部,左右两边尤其是印的下部留有大片空白,此法取自封泥则更显大胆,红白对比超出常人常规,整印朴率古茂,令人过目不忘。朱文印"荫堂藏经"(图1－79),其章法颇近古砖文,方朴古拙,运刀为钝刀直过,信手而行,线条生熟稚拙之趣皆有。初览此印章法是一派平稳景象,细观则有参差变化之意,尤其是下边线粗犷古拙乃点睛之笔,使全印顿具浑穆朴野、古拙隽雅之气。

图1－78

图1－79

李尹桑(1882～1945)近现代篆刻家。字茗柯,号壶父,又号玺斋、秦斋等,吴县人,寓居广州。是黄士陵入室弟子。他一承乃师的汉印审美理念,刻印不敲边,不修饰,不去角,力逞光洁。篆法峻利挺拔,用刀刚健峻爽,布局奇逸豪放。并以精治古玺而驰名,他对黄士陵的评价甚高:"黟山之学在吉金,……黟山之功在三代以上。"李尹桑所刻"孙文之玺"白文印(图1－80),篆法意出古玺而兼汲汉玉印之味,用刀神凝劲敛,线条光洁挺拔,布局对角疏密对比生趣。全印亦古亦今,亦正亦奇,庄严中透出奇逸之气,平整中不失峻爽之神,直得乃师平中造奇之真谛。"祖安"(图1－81)为李氏所刻朱文印,观赏此印更知李尹桑宗法黄士陵之虔诚。此印篆取古玺,

图1－80

图1－81

兼有泉布之韵，用刀洁挺峻拔，印面巧妙地将几条直斜线与几何形有机组合，如“安”上部的三角形与“安”中部的圆形及“祖”右部的近似椭圆形，构成了鲜明的方圆对比，妙趣顿添。整印不修不饰，平中寓险，还奇为正，竭尽乃师神采，可谓奇逸峻爽之至。

邓尔雅（1884～1954）近现当代篆刻家。原名溥，后为避清宣统帝溥仪讳，改名万岁，字尔雅，以字行，又字季雨，号邓斋等，广东东莞人。篆刻一承黄士陵遗绪，致力于汉印中光洁一路印风。篆法参差有致，用刀劲峻雄肆，章法平中寓变。印风秀俊挺拔，光洁妍美。“双门曲”（图1－82）为邓尔雅所刻白文印。此印篆法取自汉金文，横平竖直，简约大方，运刀则稍别于乃师黄士陵，似为涩冲一类，线条劲挺外显有微波，章法是黄氏一路，常态中蕴变化，如“双”下部与“门”中间大片留红，达到了看似不变实乃已变的效果，整印平奇互存，劲拔妍美。邓氏所刻“五松斋”朱文印（图1－83），亦是纯法黄氏印风，融汉金文为篆法，运刀蓄劲缓冲，线条挺中含涩，布局看似四字均衡一任自然，他能够妙用乃师手法，将直斜线条和几何形搭配得恰到好处，又将右上角破边透气，使全印严谨活泼，尽展洁美劲朴之风。

图1－82

图1－83

乔大壮（1892～1948）近现代篆刻家。本名曾劬，以字大壮行，别号壮翁、乔瘁、瘁叟、波外翁等，成都人。乔氏篆刻在师从黄士陵光洁峻挺印风的基础上颇多创意。其印作篆法参差奇巧，运刀工稳严谨，章法多变精致。印风古拙隽雅。乔大壮所刻“郃斋藏书”白文印（图1－84），取金文为篆法，用刀沉稳，笔画光洁，走刀准确笔意横生，布局方圆动静呼应，一派如诗如画之境，此印外框处理左右下三边留边线，上方无边线，这种在视觉上的强烈对比亦为布局一奇，整印峻爽中见沉稳，隽雅中含古拙，读之令人心境潇洒。乔氏所刻“秋月”朱文印（图1－85），亦以金文为篆法，用刀流利中含迟涩，线条沉着

图1－84

图1－85

图1－86

劲健,布局亦师黄士陵一路,以直斜线条穿插于几何形之间,并将“月”字上提,使印右下方大片留白,加之细文宽边,生出疏密粗细对比之趣,整印精致古拙,典雅清劲。

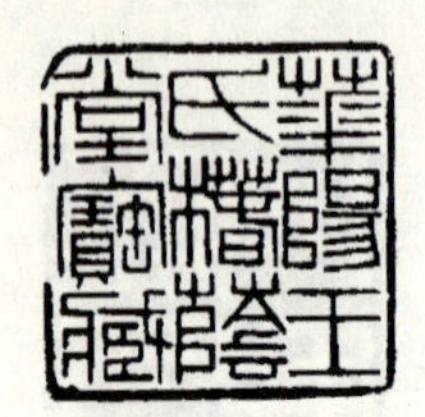
图1－87

此流派篆刻家中,冯师韩私淑黄士陵,其印洁挺中寓流动(“倚剑瞑琴之馆”,图1－86);黄少牧神守家法,印风一如其父(“华阳王氏椿荫堂宝藏”,图1－87)等等。在黄氏印风传宗者中,陈融所刻洁朴磊落,一任自然(“孙文之印”,图1－88);容庚所刻典雅工丽,端庄规整(“东官容祖椿字仲生又字自庵”,图1－89);冯康侯所刻光洁古朴,劲健潇洒(“颙园得古佛像归依记”,图1－90),如此等等。综观此流派印风,皆入“光洁峻挺”之规范。

图1－88

图1－89

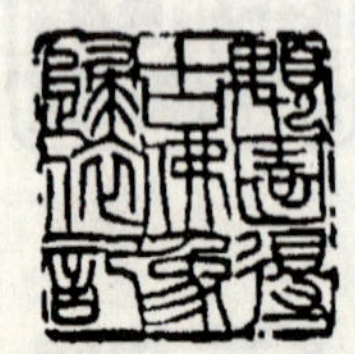
图1－90

“黟山(粤)派”篆刻家简表

姓名	字号	时期	师承	原籍(寓住地)	简注
黄士陵	字牧甫,又作穆甫、穆父,晚号黟山人、倦叟、倦游窠主等	清末(1849～1908后)	“邓(皖)派”、浙派,三代秦汉	黟县(广州等)	工书画。“黟山(粤)派”开创者。后人辑有《黟山人黄牧甫先生印存》、《黄牧甫印存》等。
金桂科	字小琴,一作啸琴	清末	黄士陵	休宁	工书画。1881年辑自刻印成《小竹里山馆印存》。
刘庆嵩	字聘孙、邠孙,号萍僧	近代(1863～1920)	与黄士陵亦师亦友	南城(广州)	1916年辑自刻印成《艺隐庐篆刻》。
易　孺	原名廷憙,后更名孺,字季复,号大厂、孺斋等	近现代(1874～1941)	黄士陵	鹤山	工诗词书画古文训诂等。著有《大厂印谱》等多种。
冯师韩		近现当代(1875～1950)	黄士陵		工书。

续表

姓名	字号	时期	师承	原籍（寓住地）	简注
陈融	字协之，号颐庵，别署松斋	近现当代（1876～1956）	黄士陵、刘庆嵩	番禺	工诗书画。同盟会会员。1919年辑自刻印成《黄梅花屋印存》。
王昜	原名朝宗，字晓湘	近现代	黄士陵	南昌	工诗书音乐。曾为黄少牧所辑《黟山人黄牧甫先生印存》题识。
范名旺	少斋	近现代	黄士陵	黟县	有《拜石山房印谱》。
黄少牧	原名荣廷，号问经、黄山等	近现当代（1879～1953）	黄士陵	黟县	黄士陵长子。工书画。1935年辑其父刻印成《黟山人黄牧甫先生印存》。
李尹桑	字茗柯，号壶父、玺斋、秦斋等	近现代（1882～1945）	黄士陵	吴县（广州）	工书，精古玺。辑自刻印成《李茗柯玺印留真》等多种。
邓尔雅	原名溥，改名万岁，字尔雅，以字行，又字季雨，号邓斋等	近现当代（1884～1954）	黄士陵等	东莞	工诗文书画文字训诂。著有《邓斋印雅》、《篆刻卮言》等多种。
区梦良	原名赍，又名庞赍，号梦园等，别署麟德石佛堪主	近现代（1888～?）	李尹桑、邓尔雅	南海 佛山	喜收藏。辑有《梦园藏印》、《梦园印存》。
李步昌	字孟晋，号百忍	近现当代（1902～1970）	黄士陵、李尹桑	番禺	李尹桑子。工书法。
容庚	原名肇庚，字希白，又字朗西，初号容斋，后改颂斋	现当代（1894～1983）	黄士陵、邓尔雅	东莞	邓尔雅外甥。工书画古文字等。著有《金文编》等多种。合著有《东莞印人传》。
邓橘	字祖永，号有林	现代（1901～1933）	邓尔雅	东莞	邓尔雅子。辑有《瓦当文录》。
刘玉林	字无逸，一字语铃，号野马道人，又号木斋	现当代（1900～1950）	刘庆嵩、邓尔雅	广州	工书画。
余仲嘉	原名衍猷，以字行	现代（1908～1941）	黄士陵、邓尔雅	南海	工书。竹刻家。

续表

姓名	字号	时期	师承	原籍（寓住地）	简注
张祥凝	号作斋居士	现当代（1909～1960）	黄士陵、邓尔雅	番禺	工书画摄影。
乔大壮	本名曾劬，以字大壮行，别号壮翁、乔瘁等	近现代（1892～1948）	黄士陵等	成都	工诗书。专攻法文。后人辑有《乔大壮印蜕》。
冯康侯	原名疆，以字行，别号老康等	近现当代（1901～1983）	黄士陵等	番禺	工画。辑有《冯康侯印谱》、《冯康侯书画印集》等。
冯文湛	原名参，以字行	现当代（1936～1977）	冯康侯	番禺（香港）	冯康侯子。著辑有《冯文湛篆刻集》。
黄云璬	字雪庐、雪桥	现当代	黄士陵	黟县	著辑有《雪庐印存》。

第四节　六大流派比较研究

一、六大流派之间的印艺关联

六大家六大流派虽各自为“家”为“派”，但由于篆刻艺术与其他传统艺术一样，有着继往与开来的共同的艺术发展规律，这便使得同处于一个“篆刻艺术”大系统内的“家”与“派”之间存有千丝万缕的承传互鉴的关联。例如六大家之间的联系，只要简略梳理一下他们各自篆刻艺术的主要师承渊源便可大致明了。

何震可谓明清徽皖印坛的先驱。关于何震的篆刻师承，印坛历来有“文(彭)、何(震)”之称，表明两人“在师友之间”的关系密不可分。文、何在篆刻取法理念方面皆提倡宗法秦汉，精究六书，为此两人被后世合称为“文何派”。这是何震的师承渊源与文彭的相同之处。不同之处是，毕竟何震比文彭晚生30余年，何震出生时，文彭已过而立之年，后来何震在文彭处的身份应是弟子兼门客，因而谓文彭是何震之师也是顺理成章的事。两人在印坛的历史定位，文彭是首先在灯光冻石上自篆自刻的篆刻家，此举一开文人篆刻流派之先河，故被视为篆刻流派的开山鼻祖，他还开创有“吴门(三桥)派”。何震则是“雪渔派”开创者。据此梳理何震的篆刻师承渊源主要为：宗秦汉，究六书，承文彭。因而在六大家中，何震是当之无愧的先行者。

在印坛上苏宣虽与文何曾享有“鼎足”之称，苏宣也曾在文彭家设馆，但他的篆刻一开始还是师从文彭的。他在文彭处的身份应是弟子兼家庭教师，苏宣比何震小近20岁，可谓是何震的小师弟，因而他受何震印风的影响亦在情理之中。后来苏宣在顾(从德)项(元汴)处得缘“秦汉以下八代印章纵观之”，终悟出“始于摹拟，终于变化”的艺理。因而苏宣的师承渊源主要为：师事文彭，旁参何震，远规秦汉。

历来皆谓汪关篆刻专师汉印，不染时俗，“为明人追汉法的开拓者”[①]。观汪关白文印确为多师法汉铸印一路，然其朱文印则是以师法汉私印为主，同时旁窥宋元朱文印。周亮工《印人传》将何震、汪关并称，认为文彭之后印风分猛利、和平两支，“以猛利参者何雪渔”，“以和平参者汪尹子”。据此综合分析，汪关的篆刻师承渊源主要为：主师汉印，旁参宋元朱文及文彭秀雅一路印风。

关于程邃的篆刻师承，有称程氏篆刻初习文何，相较而言，周亮工《印人传》中谓程氏印作“乃力变文、何旧习”似更确切些。程邃生活于明清交际时期，也是一个巨变时期，程邃的印学理念当不例外。程氏刻朱文印擅取大篆，“参合钟鼎古文，出以离奇错落的手法，对印学更有所发展”[②]。此得缘于程氏收藏丰富、博识古篆，故能运用自如。亦有称程邃受汪炳影响晚年专工汉白文印。汪炳是生于北京寓居于杭州的休宁人，与程邃是徽州同乡。汪、程二人在游扬州相遇时曾有过互

① 方去疾：《明清篆刻流派印谱》，第34页，上海书画出版社，1980。

② 沙孟海：《印学史》，第119页，杭州：西泠印社出版社，1987。

观印谱之举，但汪炳习印乃似仿朱简印风。因而程氏白文印还是源于其精探汉法。据此程邃的篆刻师承渊源主要为：直溯古玺古篆汉印。

关于邓石如的篆刻师承，与邓石如同时期并令邓氏感恩不已的程瑶田曾说过："怀宁邓君字石如，工小篆已入少温之室，刻章宗明季何雪渔、苏朗公一辈人。"[①]这里的"何雪渔、苏朗公一辈人"，当可理解为泛指以何震及"雪渔派"篆刻名家与苏宣及"泗水派"篆刻名家为主体。具体而言，邓氏朱文印曾得力于"雪渔派"中的梁千秋，而其白文印则是得力于"歙派"开创者程邃（这其中邓氏亦融自家隶书之意入印）。当然邓氏在书法艺术上的巨大成功，特别是他以以隶入篆、隶篆相融后的"邓篆"入印，成就了他独特的篆法。由此看出邓石如的篆刻师承渊源主要为：梁千秋，程邃，以书入印。

黄士陵的篆刻早期摹涉过浙派、"邓（皖）派"诸家。浙派诸家中陈鸿寿对他影响宜多些。在"邓（皖）派"诸家中，他对邓石如、吴让之的印作多有摹刻。赵之谦对他的影响主要表现在篆刻理念方面，即启发了他对汉印光洁峻挺本来面目的新认识。在此理念基础上，黄氏又广涉吉金古文字及古玺秦汉印，经过"万物过眼即为我有"（黄士陵印句）的长期历练，终于自成洁挺印风。这在黄氏印款自叙中可以找到清晰的发展脉络。因而黄士陵的篆刻师承渊源主要为：横汲"邓（皖）派"、浙派诸家，纵溯三代秦汉。

据上述，六大家之间的篆刻艺术关联拟如下：

何震、苏宣、汪关皆与文彭存有或师或友的关联。

苏宣旁参何震。

邓石如朱文印师法"雪渔派"中的梁袠；白文印师法"歙派"开创者程邃。

---

① 王家新主编：《邓石如书法篆刻全集》，第388页，天津人民美术出版社，2005。

黄士陵师法“邓(皖)派”之邓石如、吴让之、赵之谦。

此外,从上列各流派篆刻家简表中亦可看出,六大流派中众多篆刻家之间的横纵向关联亦多,在很多情况下是你中有我,我中有你;同中有异,异中有同。“几乎每一位篆刻家都因其自身的多重身份而牵动着一个或大或小的文人雅士圈,这些文人雅士圈又反过来吸附更多的篆刻家和爱好者,由此,篆刻艺术得到推广普及,篆刻艺术的一些基本技法也在推广普及的过程中得到不断地研炼与深化”[①]。其实凡徽皖籍,或徽皖籍寓外地,或外地常在徽皖艺游的明清时期的篆刻家均应列于“(大)徽皖篆刻家群体”之内。此谓“海纳百川,有容乃大”。限于篇幅,此不赘述。

二、六大流派的共性与启示

六大流派篆刻家群体在人生与艺术方面皆各具特色,但他们的共同点也是显见的,这主要表现在以下几个方面。

(一)深厚扎实的传统修养

六大家及六大流派印人群体不仅仅皆为篆刻家,他们中有的在书法艺术方面富于创造,有的兼擅绘画、诗词、古文训诂、音律医术、古物藏鉴……他们的印外功夫修养全面而深厚,也唯此方能滋养出他们精湛的印艺与独特的印风。“雪渔派”开创者何震于篆刻同时兼通绘事,其所绘墨竹为世人称道。此派篆刻家群体中兼擅书画诗词文赋者有黄埙、吴钧、赵时朗、汪以滂、文士英、吴晖、强行健、严熤、佘国观、吴晋、陈渭、金嘉玉、万承纪等等;吴迥、严熤、高积厚等精擅刻竹工艺;韩约素等兼通音律;朱筱衫、强行健等精医术;另如俞珽擅作指画;俞庭槐为摹古高手;万承纪善鉴别……胡正言通医术,精书画、版刻,他一生刊刻印刷书籍多部,“其代表作品《十竹斋书画谱》与《十竹斋笺谱》,赞誉不绝,流芳百年,堪称我国雕

① 辛尘:《历代篆刻风格赏评》,第104～105页,杭州:中国美术学院出版社,1999。

版印刷技术的峰巅”[1]。“他所发明的‘饾版’、‘拱花’法是世界印刷史上继雕板、活字印刷术发明后最伟大的发明，是世界印刷史上第三座丰碑”[2]。“泗水派”开创者苏宣善识奇字，其友姚士慎描述他“所至问奇字者，履相错及”。他所刻之印拓成《苏氏印略》，并与他人合辑有《秦汉印范》传世。此外，苏宣还是一位善于击剑的豪侠。此派篆刻家群体中兼擅书法者如程远、程士颛等。“娄东派”开创者汪关辑有印谱《宝晋斋印式》两卷。此派篆刻家群体中，沈世和兼工书画，康熙南巡时行宫榜额皆出其手；孔千秋兼工书法，亦是古文字学家；花榜究六书，好声律。“歙派”开创者程邃长于金石考证之学，收藏秦汉印章与历代碑帖书法名画及古器物。他擅画，绘山水用枯笔焦墨干皴，极现苍茫之气。“在新安画派这一群体乃至在中国山水画史中，程邃独创的荒莽古拙一格都是无法忽略的，并且具有很高的欣赏价值与研究价值”[3]。程邃书法尤工分书。其作诗不蹈袭前人，幽涩精奥，著有诗稿《萧然吟遗》。他还精医术。程邃印谱虽失传，然有同里程芝华所辑《古蜗篆居印述》中刊有摹刻程邃印章 59 方得以流传。此派篆刻家群体中兼擅书画诗词文赋者有翁陵、高翔、方成培、吴文征、黄吕、胡唐等等。高翔著有《西唐诗抄》；胡唐著有《木雁斋诗》；方成培精词曲，“今传《雷峰塔传奇》为其改编审定”[4]，著有《香研居词尘》、《听奕轩词》。汪肇龙“精于古籀文。传称凡钟鼎古篆，暗中可用手抚摸而识，被推为绝学。曾深究太学石鼓，著有《石鼓文考》”[5]。巴慰祖工书画、好收藏。“少读书，弈棋、驰马、度曲、雕镂，无所不能”[6]。“他琢砚造墨都极其精美，制有‘散氏

① 张秉伦，胡化凯：《徽州科技》，第 279 页，合肥：安徽人民出版社，2005。
② 徐学林：《徽州刻书》，第 106 页，合肥：安徽人民出版社，2005。
③ 郭因，俞宏理，胡迟：《新安画派》，第 100 页，合肥：安徽人民出版社，2005。
④ 韩天衡主编：《中国篆刻大辞典》，第 131 页，上海辞书出版社，2003。
⑤ 韩天衡主编：《中国篆刻大辞典》，第 126 页，上海辞书出版社，2003。
⑥ 韩天衡主编：《中国篆刻大辞典》，第 151 页，上海辞书出版社，2003。

鬲'大圆墨,重一斤"[1]。另著有《隽堂诗集》。其子巴树谷兼善书法,并精音律,另著有《小尔雅疏证》、《蟫藻阁金石文学记》、《学琴说》、《上字当宫管说》、《具四声律管说》、《无倍半律说》等等。钱泳兼工诗书画,精刻碑版,另著有《履园丛话》、《梅溪诗抄》、《兰林集》、《说文识小录》、《履园金石目》、《守望新书》等等。"邓(皖)派"开创者邓石如书艺四体皆精,尤以篆隶负于盛名,被列为"神品"、"妙品"。他还擅诗文。邓石如印作生前虽未见成谱,但经后人辑成有《完白山人篆刻偶成》、《古梅阁仿完白山人印剩》、《鲁庵仿完白山人印谱》、《邓印存真》等多种行世。此派篆刻家群体中兼擅书画诗词文赋者有邓传密、程荃、高尔庚、吴育、朱铉、王尔度、言朝鼎、靳理纯靳润云父子等。包世臣是书法家、书论家,他所著《安吴四种》中的《艺舟双楫》下编历来为书坛所重。吴熙载精书画和金石史地考据,其著有《吴让之自评印稿》、《通鉴地理今释稿》。杨沂孙工书通文,著有《观濠居士集》、《管子今编》、《庄子正续》、《文字说解问伪》,其篆书《在昔篇》、《说文解字序》、《说文部首》曾刻石并有墨拓行世。吴咨工书画,曾著有《续三十五举》。胡澍工书善文,另著有《黄帝内经素问校义》。徐三庚工书法,曾刻《吴皇象天发神谶碑》。赵之谦精书画诗文考证,著有《补环宇访碑录》、《赵㧑叔花卉册》、《悲庵诗剩》等。张祖翼工书画,好收藏,另著有《磊庵金石跋尾》、《汉碑范》等。徐中立擅制印泥。黄士陵是"黟山(粤)派"开创者。他精书法,工大篆、魏楷等,书风朴茂端雅。他还精于墨拓,手拓古代铜器阴阳向背分明,同时擅在摹绘古器物时填以金属色以生勃郁之气。他善作工笔花卉,常在拓片博古图上配以花卉,风致别具。黄士陵早年曾刻辑有《般若波罗多心经印谱》。后人曾辑有《黟山人黄牧甫先生印存》、《黄牧甫印存》、《黄牧甫印谱》、《黄牧甫印

[1] 鲍义来:《徽州工艺》,第116页,合肥:安徽人民出版社,2005。

集》等多种行世。此派篆刻家群体中分别兼擅诗词书画文赋者有金桂科、冯师韩、黄少牧、李步昌、刘玉林、冯康侯等。易孺兼工书画诗词古文训诂等，另著辑有《孺斋自刻印存》、《玦亭印谱》、《魏斋玺印存稿》、《魏斋印集》、《邪斋印稿》等。王易兼工诗书，通音乐，善鼓瑟品箫，著有《国说概论》、《词曲史》、《乐府通论》等。陈融兼工诗书画，另著有《黄梅花屋诗稿》、《读岭南人诗绝句》等，他亦是同盟会会员。李尹桑兼工书法，另著辑有《大同石佛龛玺印稿》、《大同石佛龛印存》、《古玺集存》。邓尔雅兼工诗文书画文字训诂，另著有《印学源流》、《印滕》、《艺觚草稿》等。乔大壮兼工诗书，专攻法文，另著有《波外楼诗》、《波外乐章》。容庚兼工书画古文字，另著有《商周彝器通考》、《颂斋吉金图录》、《海外吉金图录》、《善斋彝器图录》、《颂斋书画小记》、《历代名画著录目》、《丛帖目》等。范名旺兼精音乐。区梦良兼擅收藏。余仲嘉兼擅书法与刻竹。张祥凝兼擅书画摄影如此等等。

（二）敢为人先的艺术品格

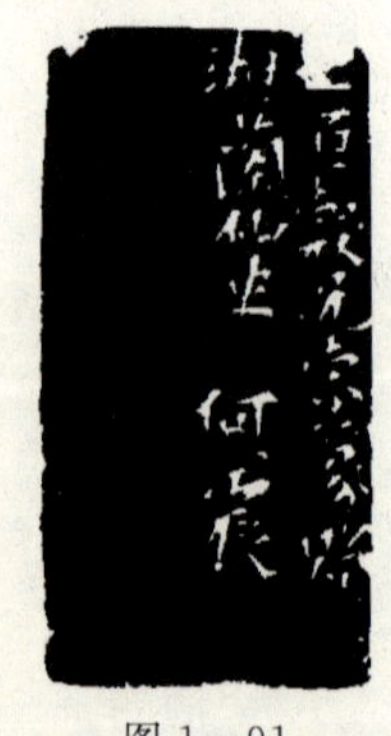

图 1－91

何震辑自刻印成《何雪渔印选》，开印人汇辑自刻印成谱之先河。何震入印文字多以文雅词句为主，拓展了印艺寄情抒兴的新领地。何震在《续学古编》中首次对古官印制度进行了研究，并对篆刻刀法有着联系实际的阐述，认为篆刻家在创作实践过程中应要“小心落笔，大胆落刀”[1]。他并已将此种理念付诸在自己的治印实践之中。他在刻边款方面创造性地一刀成一笔，款字线条一面光洁，一面斑驳，款字简练而劲健，奏印艺单刀刻款之先声（图 1－91）。这种单刀法的意义非同小可，“丁敬具款，即师其法”[2]，并对后来篆刻艺术刀法的变革与出新产生了巨大影响，例如对赵之谦所刻“丁文蔚”印与近当

① 何震：《续学古编》，载韩天衡编订《历代印学论文选》，第 56 页，杭州：西泠印社出版社，1999。

② 方去疾：《明清篆刻流派印谱》，第 4 页，上海书画出版社，1980。

代齐白石单刀冲法有着相当程度上的启示作用。“雪渔派”篆刻家群体中，徐上达成书于明万历四十二年(1614年)的印学著作《印法参同》，是由实践经验上升到印学理论的学术智慧，是由对篆刻技法的入微剖析到印学理念的辩证阐述，洋洋洒洒42卷，堪称划时代的印学巨著。笔者曾多次肯定过他关于“写意”印风的理论先导作用。400年前的徐上达就将篆刻刀法分为工、写两种。他认为刻印用刀“如画家一般，有工有写，工则精细入微，写则见意而止。工则未免脂粉，写则徒任天姿……印字有意、有笔、有刀。意主夫笔，意最为重；笔管夫刀，笔其次之；刀乃听役，又其次之。三者果备，故称完美”①。从徐上达所论述的“写则徒任天姿”、“意最为要”观点来看，他已经很是注意到了印风的写意性。金光先对篆法、刀法、章法均有自己的见解，他认为“刻印必先明笔法，而后论刀法。今人以讹缺为圭角，妄为增损，不知汉印法平正方直，繁则损，减则增，若篆隶之相通而相为。因此为章法、笔法，始得古人遗意矣”②。吴正旸主张篆刻艺术应尊古而不泥古，贵在天趣自然。他说：“古法在按古不可泥古，笔意若有意又若无意。”③苏宣在印学理念上提出“始于摹拟，终于变化”的创新思路。他认为：“出秦汉以下八代印章纵观之，而知世不相沿，人自为政。如诗非不法魏晋也，而非复魏晋；书不法钟、王也，而非复钟、王。”因而他提倡印艺应注重个性与新意，这在当时历史条件下确是振聋发聩。苏宣篆刻边款的刻法是在何震单刀法基础上，相济以切刀刻草书款，于文、何之外又能别开一面(图1－92)。汪关素被后人评为有明一代第一位真正精严入微师法秦汉印风的篆刻家，应为“印宗秦汉”印学理念的实践先驱者。他的

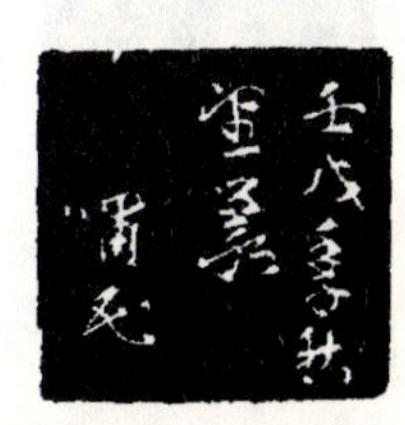

图1－92

① 徐上达：《印法参同》，载韩天衡编订《历代印学论文选》，第128～129页，杭州：西泠印社出版社，1999。

② 韩天衡主编：《中国篆刻大辞典》，第85页，上海辞书出版社，2003。

③ 韩天衡主编：《中国篆刻大辞典》，第92页，上海辞书出版社，2003。

图 1－93

图 1－94

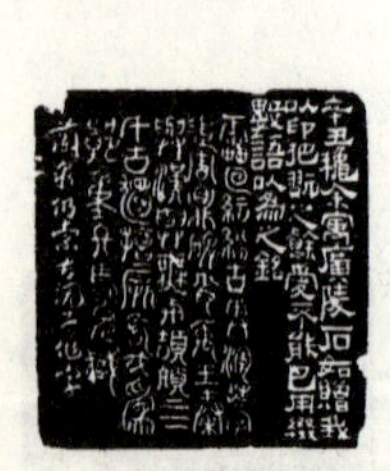

图 1－95

成功实践,“使当时篆刻面目为之一新”①。汪关刻款多用双刀法,以篆隶行书体入款,功力与雅气互映(图 1－93)。程邃在篆刻理念上主张力变文何印风,另辟新径。“前人对其朱文评价甚高,可能是因为当时面目较新的关系。其篆刻风格于文、何、汪、朱外,别树一帜,对后来的邓石如有很大影响”②。程邃篆刻刀法力现笔意,印款多用双刀行书,间有隶体,精严洒脱(图 1－94)。邓石如令人耳目一新的篆刻艺术理念是根植于他那深厚的书法艺术休养之中的。这表现在,一是“以书入印”、“印从书出”的篆法理念,邓石如创造性地将自己独特的“邓篆”直接入印,直达书印合一之境地;二是首创“计白当黑”、“疏处可以走马,密处不使通风”的章法理念,他将印作的虚处之美提高到与实迹同样的重要位置,又将印作的布局之法经营比喻得恰当而且新颖;三是强调要明了“规之所以为圆”、“方之所以为矩”之理,在印作中处理好“方”与“圆”的矛盾统一,即邓印中“刚健”与“婀娜”的矛盾统一,这又道出了篆刻艺术的美学高新境界,如此等等。这些印学理念,贯通了他其后“印外求印”的印艺坦途。邓石如印款篆隶行草体皆用之,单刀直入,极富笔歌墨舞之韵(图 1－95)。“邓(皖)派”篆刻家群体中,吴让之在印艺上的贡献,一是他身体力行邓石如“印从书出”的篆法理念,吴篆本多姿,加之他刻篆如写,使其篆法愈添秀丽之色,他“晚年不落墨而率意奏刀,境界愈高,基于邓氏,而能自入化境”③;二是吴让之刀法冲中有披削,更加丰富了邓石如的篆刻刀法。徐三庚的印风飘逸多姿,秀美挺健,他的与众不同之处在其篆法个性彰显,可谓“吴带当风”,尽展婀娜。赵之谦在印艺上的贡献,一是他从邓石如采用各体篆书入印的做法受到启示,经过实践,使

① 方去疾:《明清篆刻流派印谱》,第 34 页,上海书画出版社,1980。

② 方去疾:《明清篆刻流派印谱》,第 50 页,上海书画出版社,1980。

③ 韩天衡主编:《中国篆刻大辞典》,第 179 页,上海辞书出版社,2003。

篆刻入印文字的取法范围更加广泛；二是其用刀与此派中的邓(石如)、吴(让之)纯用锐锋不同，而是采用了锐钝并用的方法，使刀法表现力更加丰富；三是以魏体书法、图像、阳文等刻款识，为篆刻艺术边款的创作提供了新的形式；四是他提出篆刻应具“有笔有墨”之说，是对邓石如“印从书出”理念的延伸。赵之谦还开创了印坛“赵派”。吴昌硕在篆法上溯邓石如“以书入印”之理，以石鼓文为基础糅合出自家的篆书风格，书印相融；其刀法汲吴让之、钱松两家，使用出锋钝角之刀，冲切结合，其印风朴厚苍雄，在印坛开创“吴派”。黄士陵既是“邓(皖)派”群体中的佼佼大家，又是“黟山(粤)派”的开创者。他在“邓(皖)派”中的贡献首先是他以薄刃冲刀将赵之谦工致一路的印风发展至“光洁妍美”之境地；其次是他将赵之谦“印外求印”的范畴拓展得更为广阔。作为“黟山(粤)派”的开创者，黄士陵经过多年实践探索后认为，光洁峻挺才是汉印的本来面目，因而他主张刻印不去角，不击边，不加修饰。他更认为若将汉印仿刻成剥斑状实乃“东施效颦”之举。他的这些新理念，拓宽了人们认知汉印原本面貌的新境地。黄士陵印款以单刀刻魏楷，古穆劲秀，面目自具(图1—96)。

图1—96

“一部流派篆刻艺术史，正是依靠无数印人在入古出新之路上的实践与认识，才写得如此辉煌”①。启人深思的是，六大家皆是首先在篆刻理念上有所出新，而后在技法上表现出来，再后以理念与技法立派，影响着该流派篆刻家群体的审美理念与创作技法，从而逐渐形成了该篆刻流派印风的基调与主要特征(附简表)。

① 黄惇：《中国古代印论史》，第115页，上海书画出版社，1994。

六大家印学理念、篆刻技法与印风特色简表

六大家	理念上主要出新处	技法上主要出新处	印风特色
何　震	“大胆奏刀”（何震《续学古编》）	刀法：猛利酣畅，首创单刀刻款法	端古雅健
苏　宣	“终于变化”（苏宣《印略自序》）	篆法：古文字入印； 刀法：冲中参披	阔博厚醇
汪　关	追汉法	篆法：首创朱文印线条交接处存有“圆结点”	俊爽典雅
程　邃	“乃力变文、何旧习”（周亮工《印人传·书程穆倩印章前》）	篆法：大篆入朱文印； 刀法：富有笔意	古穆苍凝
邓石如	印从书出	篆法：以书入印	刚健婀娜
黄士陵	汉印本来面目为“光洁峻挺”	刀法：薄刃冲刀	光洁峻挺

（三）百折不挠的人生追求

何震出身贫寒，亦无功名，但他学习刻苦，“国博究心六书，主臣从之讨论，尽日夜不休”[①]。何通出身世仆，为了改变家世命运而能“不看人面免低眉”（何通印语），他印宗苏宣，并发以奇思地将秦至元的史传人物姓名刻为印章，附以小传，辑为《印史》，被苏宣誉为“令人俯仰目眙”，于是印史上便有了从仆人成长为篆刻家的传奇佳话，在令人浮想感慨之余亦励人奋发上进。汪关被人称为“印痴”，足可见他对篆刻艺术迷恋的程度和苦心，他得到一枚汉铜印“汪关”，便将其取代了自己的原名“汪东阳”便是一例。吴让之曾刻过“晚学居士”、“好学为福”等印，这源于他不满足于自己在书印方面的成就，晚年还拜师学画的经历，亦表现出他终生学习的勤奋精神。赵之谦在其重刻的名印“二金蝶堂”边款中有述“遭乱世，散家室，剩一人，险以出”，记载了他因避战火，逃难闽海的经历；赵曾别号“冷君”，反映了他青年时代饥寒交迫、寂寞冷落的人生艺

① 周亮工：《印人传》，载韩天衡编订《历代印学论文选》，第158页，杭州：西泠印社出版社，1999。

术生涯;并刻"血性男子"一印以示自己不合浊流之决心。青年时代的吴昌硕曾被战乱所逼孤身一人流浪于皖、浙、鄂等地,打工帮活,残羹糊口,几近绝境,这在他后来的《苦寒吟》中有述:"十指冻折号失声,饥肠辘辘不住鸣。"诸如此类的磨练,使得他深知世态炎凉和恪守正直的人格而一心为艺,例如他后来因不合官场浊流,决意弃官的经历,就铸就了他脍炙人口的名印"一月安东令"。邓石如、黄士陵的人生追求共同表现在他们贫寒养刻苦、善交得伯乐、博汲铸特色、布衣成大家等诸方面。篆刻家们百折不挠的人生追求,在篆刻艺术领域留下了丰厚的精神和物质财富。

综述之,明清印坛徽皖六大家在明嘉靖十四年(1535 年)何震诞生至清光绪三十四年(1908 年)以后黄士陵辞世的近四百年间,谱写出中国篆刻史上彪炳千秋的辉煌篇章。他们所开创的六大篆刻流派遗风流韵惠泽至今,堪称一座座艺术宝库。尤其值得梳理探究的是,六大家在不同程度上皆经历过技术→艺术→学术和与之相应的作品→精品→经典的艺之"思"与艺之"路"。以他们中的黄士陵为例,如黄氏初出道在南昌间或鬻印时期所刻辑的《般若波罗蜜多心经印谱》,其时他只可谓"会刻印"而已,印作大多留有别人的影子,这说明在技术层面只可出作品;黄氏在 1888 年左右对汉印的审美本质从实践到理念的认识产生了顿悟,此后他创作了数量可观,并具有自己独到见解与风格的印作,这说明至艺术层面方可出精品;顿悟之后的黄氏提炼出"还汉印本来面目'光洁峻挺'"的印艺理念,并与实践合一所创作的诸如"十六金符斋"、"古槐邻屋"等等,亦包括本章第一节所列举的印坛"传世名作",表明只有至已成系统的学术层面方可渐臻经典,经典是学术与精品的最高层次,具有权威性与导向性。此外,从前述"六大流派共性与启示"及"六大家印学理念、篆刻技法与印风特色简表"中亦可析理出,印坛大家皆是以学术之"新"理念铸艺

术之“独”风格，进而表明艺之大道在“正变”，正变之源为“博、厚”，正变之径为“新、独”，正变之果为“经典”。具有思想性的艺术才是真正的艺术，唯此方具“传”于后人的“价值”，此值得艺家长悟长鉴。

第二章

朱简:理论与实践同进共新

对于朱简,其同代人与后来人评价甚高,现仅录几则,以窥全豹:

"余得与观(《印品》),未卒卷曰:此周、秦以后一部散《易》也。"①

"寥寥寰宇,罕有合作,数十年来,其朱修能乎?"②

"朱修能以赵凡夫草篆为宗,别立门户,自成一家,虽未必百发百中,一种豪迈过人之气不可磨灭,奇而不离乎正,印章之一变也,敬服。"③

"余向藏朱修能《印品》、《菌阁印谱》二种,其印有超出古人者,真有明第一作手。"④

"(朱简)不仅是一位敢于推陈出新的篆刻家,也是一位对印学作出巨大贡献的理论家。"⑤

"朱简是一位博古通今、俯视印坛的大家。"⑥

后人对朱简的高度评价,是基于朱简在印史上的作为与贡献。在明代印坛,朱简明显的独特之处是理论与实践同进

---

① 陈继儒:《〈印品〉序》,载韩天衡编订《历代印学论文选》,第425页,杭州:西泠印社出版社,1999。
② 周亮工:《印人传》,载韩天衡编订《历代印学论文选》,第162页,杭州:西泠印社出版社,1999。
③ 秦爨公:《印指》,载韩天衡编订《历代印学论文选》,第169页,杭州:西泠印社出版社,1999。
④ 董洵:《多野斋印说》,载韩天衡编订《历代印学论文选》,第304页,杭州:西泠印社出版社,1999。
⑤ 黄惇:《中国古代印论史》,第85页,上海书画出版社,1994。
⑥ 翟屯建:《徽派篆刻》,第129页,合肥:安徽人民出版社,2005。

共新，成果丰硕。他在印艺理论方面撰有《印品》、《印章要论》、《印经》等著作，所论涉及玺印的考证、篆法、章法、真赝、优劣、技法、鉴赏，对先秦玺印进行断代，提出流派说等等，见解深邃。在印艺实践方面有《菌阁藏印》、《修能印谱》、《印书》等谱，这些都是朱简篆刻艺术实践的结晶。另编纂有《集汉摹印字》、《印家丛说》等书。朱简还工文善诗，与当时名流时有唱和。他是明代以来印坛上个性鲜明、格调超群者。

第一节　师承之源

一、家学渊源

明末篆刻家韩霖在《〈朱修能菌阁藏印〉序》中曰："修能幼读父书，即能辨古文奇字、铜盘、石鼓之章，稍长精研八法、六书及有韵之文，薄游湖海，与诸贤豪长者游……"[①]披露出朱简的家学渊源。

二、从陈继儒游学

对于自身的学印经历，朱简是这样叙述的："予初援印，即不喜习俗师尚，尝从云间陈眉公先生游，得顾、项二氏家藏铜玉印越楮上真谱四千余方，又于吴门沈从先、赵凡夫、畻城李长蘅、武林吴仲飞、海上潘士从、华亭施叔显、青溪曹重父、东粤陈文叔、吾乡何主臣、丁南羽诸家，得其所集，不下万余，用是涤心刮目。"[②]应当说，朱简的起点是很高的，这从他一气点出的十几个人皆非平凡之辈即可看出。如陈继儒（1558～1639）号眉公，长于诗文绘画、小说戏曲，其书法与同乡董其昌、莫是龙齐名，是明季华亭派领袖人物。陈继儒与"刻"也有关系，但他涉及的不是"篆刻"之"刻"，而是"刻"帖，事载明陶

---

① 韩霖：《〈朱修能菌阁藏印〉序》，载韩天衡编订《历代印学论文选》，第 493 页，杭州：西泠印社出版社，1999。

② 朱简：《印经》，载韩天衡编订《历代印学论文选》，第 136 页，杭州：西泠印社出版社，1999。

宗仪《书史会要》:“继儒书法苏长公,故于苏书虽断简残碑,必极搜采,手自摹刻之,曰《晚香堂帖》。”[1]朱简从陈继儒游,当然是倾慕其学问,并在此过程中得机缘“看到各家收藏的大量古印的原钤真谱,精心赏析”[2],以开阔眼界。顾从德(约 1520～?)字汝能,为明代玺印收藏家、印学家。他于 1572 年以家藏和友好所蓄古印,从中精选玉印一百五十余方、铜印一千六百余方,委托篆刻家罗王常协助钤拓辑成《集古印谱》,并首创以原印钤拓,准确展示出古印的本来面目。项元汴(1525～1590)字子京,别号墨林居士,为明代大鉴藏家,兼能书画。其收藏之富,鉴赏之精,在当时私家收藏中堪称巨擘。沈野,字从先,明篆刻家。著有《印谈》,主张治印应首重学养。赵宧光(1559～1625)字凡夫,明篆刻家。宗汉印,精字学,创草篆书,朱简篆刻的篆法就受到过他的影响。李流芳(1575～1629)字长蘅,明万历三十四年举人,擅文章诗词书画篆刻。陈赉,字文叔,明篆刻家,其篆刻负盛名于当时。何震是朱简的休宁老乡,“雪渔派”鼻祖。丁云鹏(1547～1628)字南羽,明书画篆刻家,兼工诗,精白描。从朱简自述的学印经历中可以看出两点,一是他一开始就“不喜习俗师尚”,表现出他不愿随逐时流的性情;二是他转益多师的游学经历使他收到了“涤心刮目”的学习效果。

三、直溯印章源头

朱简在对印章的源头——古玺印的鉴别与摹刻中亦大有收益,在这方面,他还是沿着理论与实践共进的路子走的。首先在理论上,他在《印品 · 正始篇》中,对摹刻的小玺原样,认为应是“商周迄先秦”时期的玺印。对于古玺印,在理论上他提出“还之古初”说,认为“广搜先代遗章,暨近日名家篆勒,其

---

① 刘正成主编:《中国书法鉴赏大辞典》,第 1022 页,北京:大地出版社,1989。

② 沙孟海:《印学史》,第 116 页,杭州:西泠印社出版社,1998。

有当于古者著为法则,谬于古者亦存之,以志鉴瑕瑜……盖代有升降,作有真赝,字有异同,格有正变,体有雅俗,用有工拙,欲使作者心腕昭然,于沿习讹舛之后,要以还之古初"①。"还之古初"的目的是"欲使作者心腕昭然",正确地入古才能更好地出新。在实践中他对古玺印有摹刻,有创作。他摹刻的朱文玺"郛司口"(图 2－1),玺文与章法得自古玺奇诡活泼、浑朴劲雅之韵。战国朱文玺皆为铸出,故显圆劲。而朱简为摹刻,是用他特有的碎切刀法"刻"出,其刻较之铸,使线条更显变幻隐约、断连自然,观赏时更能令人领略到"刻"之刀趣。在注释文时,他强调"周、秦小印,文字意义多有与今不合者,不详审确据,不敢强注,故用方框以别之"②。这反映出朱简治学的严谨态度。朱简摹刻的白文玺"吕匽"(图 2－2),较之古玺,是更加注重了笔画的轻重变化,如突出"吕"、"匽"中"女"笔画的粗重,余下笔画则作轻细处理,加上边框在右上角处的断白,使此玺边框形成了三实一虚的对比,所有这些手法使得此玺厚实中含灵动,变化处还稳实,方寸之间,气象万千。朱简创作的古玺印,较常见的是其自刻的姓名印与字号印,如"朱简"(图 2－3)、"修能"(图 2－4)朱文小玺,篆法取战国文字,圆实且灵动,运刀碎切,线条欲断还连,章法就字分布,自然洒脱,直追战国古玺之神韵,观之顿生一任天真、古趣盎然之美感。朱简此举,一开明人以古玺文字入印之先声。

图 2－1

图 2－2

图 2－3

图 2－4

据上述可梳理出朱简印学的师承之源主要有三:一是韩霖所说的"幼读父书"的家学启蒙,朱氏《菌阁藏印》即为韩氏所辑,韩霖对朱简应是很了解的;二是朱简所自述的从陈继儒游学经历中看到得到大量古印的原钤真谱,得以"涤心刮目",心胸眼界大开;三是朱简通过临摹和创作的艺术实践,直接从

① 朱简:《〈印品〉自序》,载韩天衡编订《历代印学论文选》,第 451 页,杭州:西泠印社出版社,1999。

② 朱简:《〈印品〉发凡》,载韩天衡编订《历代印学论文选》,第 456 页,杭州:西泠印社出版社,1999。

他考证出的先秦古玺及秦汉印中来领略更高层次的篆刻艺术的审美内涵，这又使得他可以将自己亲历的实践体会上升到理论层次，为他撰写印论奠定了雄厚的实践基石。如此这般的博学与实践，使得他在印学理论与实践方面必是非同凡响。

第二节　精识之新

陈继儒在为朱简的《印品》作序时有这样的感慨："每读王顺伯、吾子行诸家所论说，恍如与三代人揖让。今修能精识又过之，信为六书董孤，文、何而后不足道也。"①朱简曾从陈继儒游学，陈的这番评价必依有所据。概言之，朱简的"精识"拟包括如下方面：

一、对先秦古玺印的断代独有创见

对于先前可能载录过古玺印的印谱，朱简在《印经》中曾进行过梳理："印谱自宋宣和始，其后王顺伯、颜叔夏、杨克一、姜夔、赵子昂、吾丘子行、杨宗道、王子弁、叶景修、钱舜举、吴孟思、沈润卿、钱叔宝、朱伯盛，为谱者数十家。"②朱简列举的这些印学家所辑著的印谱，几乎皆已佚。如：《宣和印谱》传为宋徽宗赵佶时内府所辑（已佚）；王厚之，字顺伯，宋篆刻家，手摹辑有《复斋印章图谱》（亦名《汉晋印章图谱》）（已佚）；颜叔夏，南宋印学家，绍兴年间辑有《古印谱》1 册（已佚）；杨克一，北宋印学家、画家，名道孚，以字行，辑有《集古印格》一卷（已佚）；姜夔（约 1155～1209）南宋词人，号白石道人，精音律，擅书法，辑有《姜氏集古印谱》3 卷（已佚）；赵孟頫（1254～1322）元书画篆刻家，字子昂，辑有《印史》2 卷（已佚）；吾丘子行（1272～1311）元印学家，一作吾衍，字子行，辑有《古印式》2

① 陈继儒：《〈印品〉序》，载韩天衡编订《历代印学论文选》，第 452 页，杭州：西泠印社出版社，1999。
② 朱简：《印经》，载韩天衡编订《历代印学论文选》，第 136 页，杭州：西泠印社出版社，1999。

卷(已佚);杨遵,元印学家,字宗道,辑有《杨氏集古印谱》4册(已佚);王俅,南宋金石书法家,字子弁,精于古字,所著《啸堂集古录》中摹刻有古玺印37方;叶森,元印学家,字景修,辑有《汉唐篆刻图书韵释》(已佚);钱选,元篆刻家、画家,字舜举,辑有《钱氏印谱》(已佚);吴叡(1298～1355)字孟思,元印学家、书法家,吾丘衍弟子,吴氏摹合王厚之所辑成《吴孟思印谱》;沈润卿,明篆刻家,名津,刻辑有《沈润卿刻谱》[①];朱珪,元末明初篆刻家、印学家,字伯盛,辑有《印文集考》(已佚)。上述印谱因几乎已佚,使得后人已无法了解谱录中古玺印的记载情况。至明隆庆年间,顾从德的《集古印谱》出,因是以原印钤拓,面目逼真,对印艺的弘扬承传作用重大。但由于当时对古玺印的认识模糊,顾氏的《集古印谱》将古玺印列入"杂印"类别。还由于当时印界不识古玺印,以至有人认为先秦时代未尝有印章。直至朱简的《印品》出,这种认识始得以逐渐改观。朱简历时14年,博览了大量的古印拓本,考其真伪,辨其殊同,得《印品》五册八集,阐述有据,见解独到。例如他从印章文字与形状的角度来考辨玺印,认为印字是随时代便用之俗书,他将相应时代的书法与印文进行比较,"自结绳而书契兴,伏羲龙篆,仓颉蝌蚪书,若存若亡,漫无可考,独宣王《石鼓文》、李斯《峄山碑》为古篆之宗,商、周之款识,秦之秦隶,汉之八分,斯又古篆之变,尔时玺符印章皆承其字法,非外体也"[②]。并以此对玺印时期进行推断:"所见出土铜印,璞极小而文极圆劲,有识、有不识者,先秦以上印也。璞稍大而文方简者,

① 韩天衡主编:《中国篆刻大辞典》,第439页,上海辞书出版社,2003。"吴孟思合王顺伯所集印,成《吴孟思印谱》,沈氏又在吴谱基础上,合以已辑之印,汇成《沈润卿刻谱》;则此谱所辑之印为王、吴、沈三家辑谱之总和。沈谱为刻本,王顺伯、吴孟思所辑均为手摹本,并未付之枣梨;在南宋时有王氏《汉晋印章图谱》一书存在。成书当在弘治、正德间"。

② 朱简:《〈印品〉自序》,载韩天衡编订《历代印学论文选》,第450～451页,杭州:西泠印社出版社,1999。

汉、晋印也。”[①]他认为，印字极圆劲者与商周金文近似，时期宜为先秦以上；印字方简者与汉篆近，时期宜为汉晋，因而他梳理出印章发展的清晰脉络：“印始于商、周，盛于汉，沿于晋……”[②]商周时代的玺印还有待不断发掘考证，但朱简在明代便大胆提出以先秦为下限时代的玺印，这就包括了春秋战国时期的古玺印。从后来已考证出的此类古玺印大都为战国时期的这一史实来看，朱简的推断在当时愈加显得难能可贵。如此卓识，其影响之深广，170多年后的清人董洵在撰写《多野斋印说》（1782年成书）时亦有忆及：“朱文小印，文多不识，而章法、篆法极奇古，相传为秦印，朱修能定为三代印。”[③]显然，口气是叹服的。但对古玺印认识的模糊状况也并非能很快得到全面的改观。如在晚《多野斋印说》近百年问世的，由晚清印学家、古玺印收藏家吴云所辑的《二百兰亭斋古铜印存》（1876年成书）自序中，还存在“古玺篆文，为官为私，多有未识”[④]的疑问。吴云处理这种疑问的方式，是将这些古玺印放在了以六朝为时间下限的私印之前，其断代的时间概念还是模糊的，此时距朱简为先秦古玺印作断代的时间已过去了260余年，这更衬映出朱简的过人卓识。

二、最早提出了篆刻艺术史上的流派说

朱简在《印经》中，共提及50余名篆刻家，所论地域有皖、浙、苏、闽等，对其时的印学界盛况论述颇详。论及的篆刻流派有文彭及三桥派、何震及雪渔派、苏宣及泗水派等。朱简曰：“由兹名流竞起，各植藩围，玄黄交战，而雌黄甲乙，未可遽为定论。乃若璩元玙、陈居一、李长蘅、徐仲和、归文休、暨三

---

① 朱简：《印经》，载韩天衡编订《历代印学论文选》，第140页，杭州：西泠印社出版社，1999。

② 朱简：《印章要论》，载韩天衡编订《历代印学论文选》，第141页，杭州：西泠印社出版社，1999。

③ 董洵：《多野斋印说》，载韩天衡编订《历代印学论文选》，第298页，杭州：西泠印社出版社，1999。

④ 吴云：《〈二百兰亭斋古铜印存〉序》，载韩天衡编订《历代印学论文选》，第617页，杭州：西泠印社出版社，1999。

吴诸名士所习,三桥派也。沈千秋、吴午叔、吴孟贞、罗伯伦、刘卫卿、梁千秋、陈文叔、沈子云、胡曰从、谭君常、杨长倩、汪不易、邵潜夫,及吾徽、闽、浙诸俊所习,雪渔派也。程颜明、何不违、姚叔仪、顾奇云、程孝直与苏、松、嘉禾诸彦所习,泗水派也。"[1]朱简的流派说以篆刻艺术本体为出发点,站在印艺风格的立场上,以师承为主要标准,客观而实际,填补了篆刻艺术史上的空白。

三、印艺批评有胆识

朱简的《印品》,开创性地辟出"谬印"一栏来评述他所认为不成功之印,评述的对象包括了当时在印坛很有影响的人物及他们的作品。这其中如何震所刻"登之小雅"印,他认为抖擞成习气;梁千秋所刻"盘白石兮生明月",他认为盘曲过甚;陈万言所刻"墨兵",他认为对称留红便显呆滞等等。可能是何震名气更大的缘故,朱简对何震的印艺批评更为严厉。"长卿板织,歪斜并作,迩时石灾,斯又元人所不为,安望凌秦轹汉哉"[2]!"石灾"之评,语气确是很重了。朱简的印艺批评,从篆刻艺术审美的角度进行尝试,反映出他对篆刻艺术审美标准的重视与探索,并开创了对篆刻艺术具体作品的批评风气。同时,朱简还明确列出在篆刻的篆、笔、刀、章、意等五个方面要防止"五病":一篆病为"学无渊源,偏旁凑合";二笔病为"不知运笔,依样描补";三刀病为"转折峭露,轻重失宜";四章病为"专工乏趣,放浪脱形";五意病为"心手相乖,因便苟完"[3]。朱简的这些印学批评,堪称有胆有识,恳切中的,意义积极。

四、提出"趣胜"说

朱简认为:"工人之印以法论,章字毕具,方入能品。文人

① 朱简:《印经》,载韩天衡编订《历代印学论文选》,第139页,杭州:西泠印社出版社,1999。
② 朱简:《〈印品〉发凡》,载韩天衡编订《历代印学论文选》,第455页,杭州:西泠印社出版社,1999。
③ 朱简:《印经》,载韩天衡编订《历代印学论文选》,第137页,杭州:西泠印社出版社,1999。

之印以趣胜，天趣流动，超然上乘。”[①]朱简的“趣胜”说，一是首先提出了“工人(印工)印”与“文人印”的概念，并指出工人(印工)印持以“法”，文人印“胜”以“趣”。印章(篆刻)从“工艺”到“艺术”的区别在于“法”与“趣”。工人(印工)印只是“以法论章，字毕具”，还是停留在“技法”的层面上；而文人印已加入了文人对篆刻艺术的自觉审美意识，从而成为文人表达自己情“趣”的载体。从“技法”到“艺术”，篆刻艺术完成了质的升华。二是论涉了篆刻艺术评品的标准，即仅具“法”的印作只可称为“工人(印工)印”，可列为“能品”；只有“流动”着“天趣”的文人印才能达到“超然上乘”的境界。无疑，“趣胜”说开辟了印艺审美的新天地。

五、提出“笔意表现”说

关于篆刻艺术中的“笔意”论题，在朱简前后皆有人论涉。周应愿在其《印说》中就曾提出，由于刻工们大多不识篆，因而他们在刻印时也就无法表达出“笔意”，他认为“笔意”在篆刻艺术审美中起着重要的作用，若失之，将导致“古法顿亡”。他同时认为，若能以刀代笔，尽展笔意，那么印作将呈现“展舒随我”的审美理想。甘旸在其《印章集说》中，将篆刻艺术的法度归纳为四，即篆、笔、刀、章法。他在论述篆法在篆刻艺术中的作用时指出：“时之作者，不究心于篆，而工意于刀，惑也。”[②]他还认为笔法亦很重要：“篆故有体，而丰神流动，庄重典雅，俱在笔法。”[③]徐上达在《印法参同》中同样认为：“印字有意，有笔，有刀。意主夫笔，意最为要；……盖刀有遗，而笔既周，笔未到，而意已迈，未全失也。若徒事刀而失笔，事笔而失意，不几于帅亡而卒乱耶！”[④]朱简对此方面的认识更加深刻切题。

① 朱简：《印经》，载韩天衡编订《历代印学论文选》，第141页，杭州：西泠印社出版社，1999。
② 甘旸：《印章集说》，载韩天衡编订《历代印学论文选》，第79页，杭州：西泠印社出版社，1999。
③ 甘旸：《印章集说》，载韩天衡编订《历代印学论文选》，第79页，杭州：西泠印社出版社，1999。
④ 徐上达：《印法参同》，载韩天衡编订《历代印学论文选》，第129页，杭州：西泠印社出版社，1999。

他认为"吾所谓刀法者,如字之有起、有伏、有转折、有轻重,各完笔意"[1]。朱简的这段论说,后几句所谓"起伏、转折、轻重"是书法中表达笔意的描述,他在前面加上一句"吾所谓刀法者",就成了篆刻艺术中要"各完"的"笔意"了。这就是说,朱简认为笔意是不仅仅存在于书艺之中的,同样,在与书艺关联密切的印艺中也应当有其表现之处。与书法中的笔法一样,篆刻中刀法的运用也是十分关键之处,因为书印关联十分密切。简言之,篆刻原本乃书法的另一种表现形式,区别在于书法以柔毫书于纸,而篆刻则以铁笔刻于石。在这里,朱简所强调的"笔意",是"使刀如使笔",指的是铁"笔意"趣,这就在印论中将刀法的作用提升到一个新高度,也为印艺刀法在实践运用中拓展了更深的内涵与更广阔的空间。可见,对篆刻艺术中的"笔意"理解得比较全面的,应是朱简。他并将此理念运用于他篆刻艺术的篆法、刀法、刀笔相结合的实践中。

第三节　实践之路

一、篆法:文随代迁　字唯便用

《菌阁藏印》为朱简刻印,韩霖辑谱所成。明人王珙《题〈菌阁藏印〉》曰:"论印不于刀而于书,犹论字不以锋而以骨。刀非无妙,然必胸中先有书法,乃能迎刃而解也。余尝以此持论,而修能先得之。……其说皆不欲肖古人之貌,而追古人之神。"[2]明人李流芳《题〈菌阁藏印〉》曰:"印文不专以摹古为贵,难于变化合道耳。三桥、雪渔其佳处正不在规规秦、汉,然而有秦、汉之意矣。修能此技,掩映今古皮相者多,且与言秦、汉

① 朱简:《印经》,载韩天衡编订《历代印学论文选》,第138页,杭州:西泠印社出版社,1999。

② 王珙:《题〈菌阁藏印〉》,载韩天衡编订《历代印学论文选》,第494～495页,杭州:西泠印社出版社,1999。

可也。”[①]王珙对篆刻的持论是“必胸中先有书法，乃能迎刃而解”。他认为，关于篆法重要性的道理，朱简已比他“先得之”。李流芳认为篆法要“变化合道”，对于这一点，朱简“掩映今古皮相者多”，认识亦是很深刻的。从上述王、李题记中可以看出，朱简是很重视篆法的。对于朱简篆法，历来论者大多认为他是取法于赵宧光草篆。如清著名印学家魏锡曾认为：“修能用凡夫草篆法，笔画起讫，多作牵丝，是其习气，从来所无。”[②]他还认为：“修能为赵凡夫制印甚多，其篆法起讫处时作牵丝，颇与凡夫草篆相类。”[③]关于赵宧光草篆，清印学家、篆刻家孙光祖认为：“赵凡夫草篆，创古今未有之奇。”[④]清吴翀认为：“明高士赵凡夫先生工草篆，李斯、程邈后一人。”[⑤]赵宧光自己亦很重视篆法。他认为：“近人不会写篆字，容易谈印。白文小印，尚可描补，稍大即不能；至朱文更出丑矣。”[⑥]“不得字法，何以成书”[⑦]。赵宧光精篆刻，潜心致力于古文字学，创草篆书。赵氏草篆，概言之是其在精通篆书的前提下，用笔参以行草意，结体灵活应变，并大胆参以大篆意韵。可以说，篆书在赵氏的笔下成了畅心抒情的载体(图2－5)。赵氏篆刻取法汉印，如其所刻“寒山”白文印(图2－6)，仅观其布局之大胆，已足可见其印是其人性情的写照。赵氏与朱简为印艺知己，赵氏在为朱简的《印品》所作序中说：“修能不以余言为过，余不

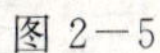

图2－5

图2－6

① 李流芳：《题〈菌阁藏印〉》，载韩天衡编订《历代印学论文选》，第495页，杭州：西泠印社出版社，1999。

② 魏锡曾：《书〈赖古堂残谱〉后》，载韩天衡编订《历代印学论文选》，第525～526页，杭州：西泠印社出版社，1999。

③ 魏锡曾：《论印诗二十四首并序·朱简修能》，载韩天衡编订《历代印学论文选》，第889页，杭州：西泠印社出版社，1999。

④ 孙光祖：《古今印制》，载韩天衡编订《历代印学论文选》，第282页，杭州：西泠印社出版社，1999。

⑤ 吴翀：《〈赵凡夫先生印谱〉序》，载韩天衡编订《历代印学论文选》，第457页，杭州：西泠印社出版社，1999。

⑥ 桂馥：《续三十五举》，载韩天衡编订《历代印学论文选》，第308页，杭州：西泠印社出版社，1999。

⑦ 赵宧光：《朱修能〈印品〉序》，载韩天衡编订《历代印学论文选》，第453页，杭州：西泠印社出版社，1999。

以修能自隐。”[1]朱简亦云“赵凡夫是古非今，写篆入神，而捉刀非任，尝与商榷上下，互见短长”[2]即为一证。有意味的是，赵宧光创草篆书，但他自己并未以草篆入印，他刻印宗汉法。事实上，朱简篆法也并非如上所述仅是取法赵氏草篆。朱简对篆法具有代表性的持论可推其在《〈印品〉发凡》中的一段论述：“印字古无定体，文随代迁，字唯便用，余故曰印字是随代便用之俗书。”[3]朱简有理论修养，有实践功夫，这二者的长期磨合历练，已使得他在印艺技法上不同寻常。在刀法方面，他“碎刀短切”，这是他的创用。那么在篆法方面呢？综观朱简印作，赵宧光草篆只是他篆法取法的一个组成部分。朱简篆法拟是按照他自己提倡的“便用”准则，主要源自三个方面。一是古玺汉印至元明各种篆法，他能灵活运用至“浑融”之境界，《菌阁藏印》便是实例。二是他既认为“印字古无定体”，便在《印经》中明确清晰地提出了何为篆法的“则”、“宗”、“源”、“变”诸见解。他认为：“先小篆……取以为则。次大篆……取以为宗。次古文、三代金石铭款……取以疏其源。次八分，权量，《神讖》，摹刻印符……取以极其变。”[4]在朱简看来，小篆、大篆、古文、三代金石铭款，在篆法中宜“为则”、“为宗”、“疏源”，而八分、权量、《神讖》、摹刻印符等，这些文字“文简而方，笔正而劲，体兼隶篆，征生写意”[5]，因而他主张“取以极其变”，“变”当然是为他在印艺实践中之“便用”。我们不妨来观析一下常被提及的朱简的篆刻代表作，大多当属此列，如白文印“范允临印”(图2—7)、“汤显祖印”(图2—8)；朱文印“冯梦祯印”(图2—9)、“米万钟印(图2—10)”等等。这些印作的篆法

图2—7

图2—8

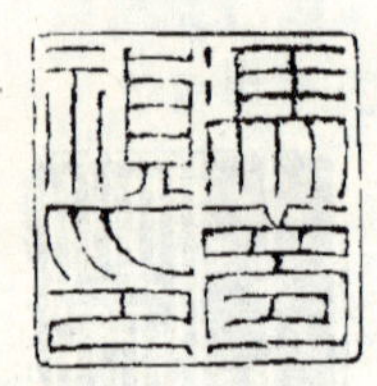

图2—9

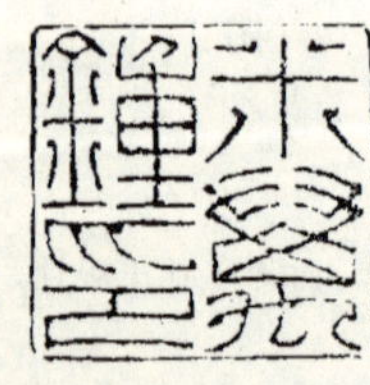

图2—10

① 赵宧光：《朱修能〈印品〉序》，载韩天衡编订《历代印学论文选》，第453页，杭州：西泠印社出版社，1999。

② 朱简：《印经》，载韩天衡编订《历代印学论文选》，第140页，杭州：西泠印社出版社，1999。

③ 朱简：《〈印品〉发凡》，载韩天衡编订《历代印学论文选》，第454页，杭州：西泠印社出版社，1999。

④ 朱简：《印经》，载韩天衡编订《历代印学论文选》，第135～136页，杭州：西泠印社出版社，1999。

⑤ 朱简：《印经》，载韩天衡编订《历代印学论文选》，第136页，杭州：西泠印社出版社，1999。

十分符合朱氏上述的特点：简而方，正而动，兼隶篆，生写意，并且朱氏已做到了“极其变”。这诚如韩霖所谓：“其论商、周、秦、汉之法，凿凿有的据，摹拟久而变化出焉。故落笔鼓刀，与今人迥然不侔。”[①]三是赵宧光草篆，朱简对其是遗形取意，他取法的是赵的“草篆”意。在点画上，他力现起伏、转折之书意；在结构和字与字之间，他注重牵连、呼应之笔势。“（朱简）在实践‘笔意表现论’的同时，已注意到个性篆书的运用能别开生面这一关钮，确是一个伟大的创举”[②]。

二、刀法：碎刀短切 刀笔结合

在刀法方面，《印章要论》曰：“使刀如使笔，不易之法也。正锋紧持，直送缓结，转须带方，折须带圆，无棱角、无臃肿、无锯牙、无燕尾，刀法尽于此矣。”[③]朱简对篆刻刀法进行的探究与实践，确有其独到之处，他并以此为突破口来构筑自己所理想的印风。他在实践运用中凸显刀法的独立性，特别着意追求线条的质感，使每根线条都由短刀连续相切而成，并力现笔意，欲使线条同具书法艺术的韵律感与篆刻艺术的金石味。应当说，朱简对刀法的创用，完善了篆刻艺术中两大主要刀法之一的“切刀”法的实际运用内容。明代印坛以回归秦汉为时尚，朱简之论刀运刀，相对于文、何诸前贤及此前的历代印章，确能令人耳目一新，因而这种“碎刀短切”刀法遂成为篆刻艺术技法的又一个出新之处，广为后人所师法。同时也可以看出，从朱简力倡的刀法传笔法的理念来看，他走的是一条“刀笔结合”的印艺之路，力求呈现出刀味笔意双有的新艺境，这确为一种极有意义的尝试。

三、章法：各具篇章 不得混漫

在章法方面，朱简认为：“吾所谓章法者，如诗之有汉、有

---

① 韩霖：《〈朱修能菌阁藏印〉序》，载韩天衡编订《历代印学论文选》，第 493 页，杭州：西泠印社出版社，1999。

② 黄惇：《中国古代印论史》，第 92 页，上海书画出版社，1994。

③ 朱简：《印章要论》，载韩天衡编订《历代印学论文选》，第 144 页，杭州：西泠印社出版社，1999。

魏、有六朝、三唐、各具篇章，不得混漫，非字画蟠曲，以长配短，以曲对弯之章也。”[1]朱简篆刻艺术的章法审美理念较之其所处时代明显具有超前意识，他在那时就比较注重印作的传统与形式感。从朱简的印作中可以看出，其章法确实做到了“各具篇章，不得混漫”。

四、名印析赏

图 2—11

赏析朱简印作，给人印象深刻的，就是他的印论与实践言行合一、同进共新。如他所刻“陈继儒印”（图 2—11），初观即感觉其汉印功力的确非同小可，篆法、章法皆得汉印端庄之本，与其所处时代印家的共同审美之趣颇为相近，其妙在用刀方面，朱简能以刀代笔地呈现出他所主张的“笔意”之美。如“陈”右下部笔画与“印”下部笔画皆笔意浓厚，而“继儒”二字，真可视为以笔书出，尤其是“继”的左偏旁，一现书艺之提按轻重之法，观之真可谓游刃有余，笔意盎然。朱简所刻另一白文印“开之”（图 2—12），篆法取自小篆，略带草意，运刀碎刀短切，使线条既流畅又古拙，章法更是大胆，二字各占印面一半，任其自然排列，立显“开”之密与“之”之疏，加之“之”右留有大片红，使印面的形式感十分突出，具有审美超前意识。玩味此印，说是持刀刻出，却似援笔写出，二字笔画书法意味甚浓，如“开”下部几竖画的收笔处，与用笔写出的效果并无二样。朱简的“笔意”之说，在此印的创作实践中表现得十分明显。朱简所刻朱文“邹迪光印”（图 2—13），篆法取汉篆方正端稳之意，章法亦取法汉印，四字匀布印面。此印的与众不同之处表现在以下三个方面：一是由于他以弧线介入篆法，使原本端庄之汉篆顿生出些许动感，而且曲直相宜；二是他以碎刀短切之刀法来构筑线条的笔意，使得印面笔画中粗细、断连、方圆等篆刻技法审美因子皆现；三是他如此这般地以刀意显现笔意，这就使他的

图 2—12

图 2—13

---

① 朱简：《印经》，载韩天衡编订《历代印学论文选》，第 137 页，杭州：西泠印社出版社，1999。

篆刻艺术较之他人印作，审美内涵更显丰富。朱简所刻“龙友”(图 2－14)朱文印，篆法以小篆为主，参以汉金文方折笔意，章法看似平淡实具匠心，印字依笔画繁简而自然布局，“龙”笔画繁就密排，“友”笔画少则疏布，这样就在整体布局上自然形成了右密左疏之对比，加之“龙”右下长弧画与“友”方折笔画的相映成趣，使得整印生出灵动之气，当然，此印的亮点还是朱简的特有刀法使线条所具有的笔意之美，这才是他的独到之处。朱简所刻“杲叔”朱文小玺(图 2－15)一望便知是其仿先秦古玺所得，篆法取金文之韵，造型简约，气息古朴，章法犹如二珠落玉盘，分布自然且生动可人。其引人入胜之处还是在于笔意的成功展现，此印实为刻出，细观又似铸出，再看更如写出，线条细微处轻重断连变化十分巧妙，特别是印边右上角两笔连接处，欲断还连，笔锋隐约，真如以柔毫一挥而就，令人回味无尽。基于朱简印风能入古出新，历来好评迭现，如“修能此册(《菌阁藏印》)不拘奇正，按之一一淡古文雅，如李夫人移步姗姗，似远似近，此非胸中博古有真得未能也”[①]，“修能自为篆刻，直傲睨古今”[②]，“朱简创作印谱……，面目很多，自战国至元、明各种体裁，灵活运用，涉笔成趣”[③]等等。

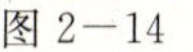
图 2－14

图 2－15

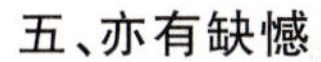

五、亦有缺憾

但也无需讳言，历来对赵宧光草篆及朱简取法草篆入印，也存有不同看法。如魏锡曾认为：“凡夫创草篆，颇害斯籀法”。[④] 孙光祖也指出：“赵凡夫草篆，……正者偏、藏者露、静者躁、庄者佻、舒者促、敛者肆，文敏之道，于兹失守矣。”并认

① 归昌世：《题〈菌阁藏印〉》，载韩天衡编订《历代印学论文选》，第 494 页，杭州：西泠印社出版社，1999。

② 王守谦：《序范孟嘉韵斋〈印品〉》，载韩天衡编订《历代印学论文选》，第 511 页，杭州：西泠印社出版社，1999。

③ 沙孟海：《印学史》，第 116 页，杭州：西泠印社出版社，1998。

④ 魏锡曾：《论印诗二十四首并序・朱简修能》，载韩天衡编订《历代印学论文选》，第 889 页，杭州：西泠印社出版社，1999。

为“朱修能好奇，用以寒山(赵凡夫)法入印，愈工而愈魔矣”[①]。应当说，赵宧光在自己的篆书艺术创作中追求个性书风的探索宜予以肯定。至于说朱简以赵氏草篆意入印“愈工而愈魔”则有违事实。但从朱简流传下来的有些印作看，也存在一些不尽如人意之处，具体表现为一是朱简有时也未能很如愿地“表现”出他所力倡的“笔意”，给人感觉是折意多，转意少；方意多，圆意少。这是他所运用的刀法所致。碎刀短切易表现“折”与“方”，难力现“转”与“圆”，要“表现”出“笔意”中的率意性和流畅性就更显得刀不从心了，如朱简刻这一类印时能参以冲刀法(如后来的邓石如)，那效果就会大增其色。可见，主要是用刀单一的原因(当然也有取篆的原因)，有时妨碍了朱简在印作中更加充分圆满地表达出“笔意”。二是朱简刻印似乎从来不留意印款，致使人们至今既未见关于朱氏印款的记载，也未见其印款实例。印款是印艺的重要组成部分，既有书艺之美，又有文学、史料诸方面的价值。以朱简的过人胆识与深厚功力，他兴来得之的印款必是书艺见识俱精。朱简印款的缺失，为一憾事。

第四节　流韵之盛

朱简印艺遗风流韵之盛，主要体现在以下几个方面。

一、对程邃、巴慰祖朱文印风的影响

清冯泌等人皆认为程邃“朱文宗修能”。程邃是“歙派”鼻祖，他的印学理念是“力变文、何旧习”(周亮工语)。“变旧习”就要“写新篇”，程氏白文“精探汉法，刀法凝重”(方去疾语)；其朱文印篆法是“复合款识录大小篆为一，以离奇错落行之，

① 孙光祖：《古今印制》，载韩天衡编订《历代印学论文选》，第282页，杭州：西泠印社出版社，1999。

欲以推倒一世"[①]，刀法则是吸收了朱简的碎切技法，从而使他的朱文印富有笔意，印风新颖而广受好评。沙孟海先生曾指出巴慰祖刀法亦受到了朱简的影响。巴慰祖曾印宗程邃，沿着这条线上溯，巴氏刀法受到朱简影响应是情理之中的事。巴氏刻细朱文时的用刀受朱简的影响更大些，只不过较之朱简，巴氏的刀法更具涩意，因而他的细朱文线条更显藏锋匿刃、温穆雅正之意（"下里巴人"，图 2－16）。因此可见，程邃与巴慰祖在朱简那里受到的影响，主要是刀法方面。

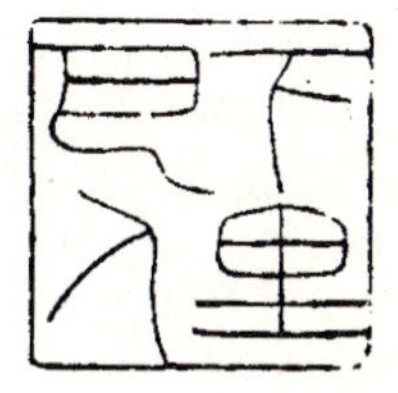

图 2－16

二、对丁敬及"浙派"印风刀法的影响

清魏锡曾认为："钝丁碎刀从明朱简修能出。"[②]沙孟海先生认为朱简的作品不仅造诣高，"对西泠印派的兴起，更有所启发"[③]。丁敬作为篆刻史上一个流派的鼻祖，说明他必是其所处时代印艺的集大成者，因而他的印艺取法应是多元的。在刀法方面，丁敬自己曾说过"钝丁仿汉人印法，运刀如雪渔"（丁敬"傲骨热肠"印款）。即是说，丁敬的刀法不仅仅是上述魏锡曾等认为的取法朱简，他还取法何震。应当说，丁敬承袭的是朱简的刀法理念，经他反复实践取舍融会，在刀法的表现方面更趋成熟。具体表现为丁敬强化了朱简刀法"切"的特征，使得他刀下的线条起伏变化更强烈，节奏感更强，给人以劲健而涩辣之美感，"印从刀出"，这亦是丁敬对篆刻刀法的新贡献（"丁敬身印"、"龙泓馆印"，图 2－17）。关于丁敬的印艺（刀法）取法，还是清人董洵的认识相对全面些："杭州丁布衣钝丁汇秦、汉、宋、元之法，参以雪渔、修能用刀，自成一家，其一种士气，人不能及。"[④]因丁敬是"浙派"创始者，他的刀法受

图 2－17

---

① 周亮工：《印人传·书〈黄济叔印谱〉前》，载韩天衡编订《历代印学论文选》，第 162 页，杭州：西泠印社出版社，1999。

② 魏锡曾：《〈砚林印款〉书后》，载韩天衡编订《历代印学论文选》，第 379 页，杭州：西泠印社出版社，1999。

③ 沙孟海：《印学史》，第 116 页，杭州：西泠印社出版社，1998。

④ 董洵：《多野斋印说》，载韩天衡编订《历代印学论文选》，第 304 页，杭州：西泠印社出版社，1999。

到了朱简的启发,而切刀法也正是"浙派"赖以成派流传的主要技法,因而沙孟海先生认为朱简刀法"对西泠印派的兴起更有所启发",确为公允之评。

三、对邓石如及"邓(皖)派"印风篆法的影响

黄惇先生认为:"特别值得一提的是,朱简的'笔意表现论',在他本人的印作中还有另外一层更深入的意义,即他以赵凡夫草篆入印,以刀表现这种具有写意风格的草篆笔意,实开清代'印从书出'、'印外求印'论之先河。"[①]"以书入印,印从书出",是清代篆刻大家邓石如的创造。他以极具个性的"邓篆"入印,由篆法出新带动了其印风鲜明的个性和新的意境。虽然历来鲜闻朱简"笔意表现"说对邓石如篆法出新有过影响的议论,邓本人亦似未涉论过此事,但邓晚生于朱近200年,二人原籍同属明清徽皖篆刻兴盛的大环境内(朱为休宁人,邓为怀宁人),朱简以赵凡夫草篆意入印的实践与前人对此举的评论,对邓石如潜移默化的作用是不可低估的,何况聪颖勤奋、善抓机遇的邓石如生前常去朱简的故乡古徽州一带游学,他在那里认识的程瑶田、金榜等人对成就他的书印艺术帮助极大。在这些游学经历中,邓石如是否得机缘读到过朱简的印论或看到过朱简的印作,还有待考证。从这个意义上讲,朱简篆法理念影响到邓石如的篆法及印风的出新,是不无道理的。赵之谦是印坛大家,也是"邓(皖)派"中的重要一员(有意味的是,赵之谦倒是提到过朱简,他在所刻"魏锡曾印"边款中曰"悲庵刻此近朱修能",图2—18。然观此印,用刀太碎,这可能是赵氏的一时应景之作。),他在邓石如篆法理念上更向前迈进了一步,提出"印外求印"的新思,提倡广取一切可用的文字入印并努力付诸实践,呈现出篆刻艺术审美的新气象("金石录

图2—18

① 黄惇:《中国古代印论史》,第92页,上海书画出版社,1994。

十卷人家”，图 2－19）。赵之谦的篆法理念可溯源为：朱简“笔意表现”说——邓石如“以书入印，印从书出”——赵之谦“印外求印”。由此可将朱简对程邃（巴慰祖）、丁敬及“浙派”与邓石如及“邓（皖）派”的影响归纳如下：

朱简——→
- 碎刀短切刀法→程邃（巴慰祖）朱文印风
  - →丁敬“印从刀出”→“浙派”刀法及印风
- “笔意表现”说→邓石如“以书入印，印从书出”→“邓（皖）派”篆法及印风
  - ↓
  - 赵之谦“印外求印”

图 2－19

四、有一批直宗或兼宗的弟子

直宗、私淑或兼宗朱简印风的主要有：汪如，明末篆刻家。字无波，号桐皋，与朱简同乡。篆刻得朱简亲授，朱文圆劲生动，白文摹汉铜，精妙有神。范孟嘉，明末篆刻家。字韵斋，法号自惺，是朱简外甥。篆刻能传朱简遗绪，1636 年自刻印辑成《范氏印品》。汪炳，明末清初篆刻家。字虎文，他虽生于北京，居于杭州，但与朱简同籍。他的篆刻以朱简印谱为宗，临摹能得其神韵，兼工书法。俞庭槐（约 1716～?）清篆刻家。字拱三，号巩山，浙江嘉兴人。刻印白文宗程穆倩，朱文宗朱修能，摹旧印，足可乱真，著有《巩山印略》。许钺，清篆刻家。字锡范，歙县人。篆刻兼宗何震、程邃、朱简诸家，所作印能自出机杼。赵丙棫，清篆刻家。字圣木，一字艽若，又字仰才，号养拙居士，浙江绍兴人。赵氏篆刻兼宗胡志仁、朱简、程邃诸家，印风苍秀。以上汪如、范孟嘉为朱简的直宗者，或谓入室弟子；汪炳为私淑弟子；俞庭槐、许钺、赵丙棫等为兼宗者。

概言之，在印艺理论上，朱简对先秦古玺印的断代独有创见，最早提出了篆刻艺术史上的流派说，在篆刻艺术批评方面敢于直言而不避贤者讳，提出了“还之古初”说、“趣胜”说、“笔意表现”说等等；在篆刻艺术实践中临摹古玺，取草篆意，创用

“碎刀短切”法，主张“刀笔结合”等等。朱简的成果深启后代，如他创用的“碎刀短切”法，开丁敬乃至“浙派”切刀法之先声；如他力倡的“笔意表现”说，为邓石如“以书入印”及“邓(皖)派”的兴起作了很好的舆论铺垫……据于此，朱简以他独有的卓识与实践，毫无悬念地奠定了他作为中国篆刻史上理论与实践同进共新印坛大家的历史地位。

第三章

程邃"参合铭文与大小篆入印"的篆法新举

第一节 程邃篆法新举的意义

在明末清初艺坛，程邃可称是诗书画印皆精的全才。程氏在篆刻方面的成就前已概述，程氏的印学理念大体是"力变文，何旧习"，他在技法上的主要出新处为在篆法上参合青铜器铭文与大小篆入朱文印，在刀法方面富有笔意，并被尊为"歙派"鼻祖。沙孟海先生指出，程邃所处时代的印艺境况是："当时印学界寝馈文、何，陈陈相因，久无生气。朱简首先起而矫之，面目一新；程邃继起，参合钟鼎古文，出以离奇错落的手法，对印学更有所发展。"[①]这里特别指出了程邃"对印学更有所发展"的"参合钟鼎古文"之举，而对程氏此举此功亦非沙先生一家之言，而是历来被评家视为程氏对篆刻艺术发展所作出的一个重要探索与贡献。如：程芝云曰程邃"上稽秦、汉以前金石文字为之祖……故炉橐百家，变动不可端倪"[②]。魏锡曾曰："穆倩朱胜于白，仿秦诸制，苍润渊秀，虽修能、龙泓、完

① 沙孟海：《印学史》，第119页，杭州：西泠印社出版社，1987。

② 程芝云：《〈古蜗篆居印选〉跋》，载韩天衡编订《历代印学论文选》，第584页，杭州：西泠印社出版社，1999。

白皆不及，余子无论矣。"[1]并赋诗赞曰："蔑古陋相斯，探索仓沮文。文何变色起，北宗张一军。云雷郁天半，彝鼎光氤氲。"[2]黄宾虹认为，程邃"朱文仿秦小玺，最为奇古"[3]。方去疾指出，程邃"篆刻朱文喜用大篆……前人对其朱文评价甚高，可能是因为当时面目较新的关系"[4]，如此等等。这些评论中诸如"变动不可端倪"、"苍润渊秀"、"最为奇古"、"面目较新"等等，皆是指程邃参合铭文与大小篆入印之举。虽然陈澧曾指出："程穆倩以古文作印，但取新奇，不必效也。"[5]这看起来是批评意见，但细细品味，这其中亦含有褒意。因为陈澧说程邃以古文入印是"为了取新奇"，其实一门艺术能取得既"新"又"奇"的美感，也就是很难得了。可见，对程邃参合铭文与大小篆入印之举，历来评家大多是持肯定态度的。这主要是因为，在明末清初印坛，程邃是一位将铭文与大小篆较为成功地融入印艺，并得到了公认的篆刻家。

第二节　铭文·古玺

一、铭文"就形"——玺文

关于铭文与篆刻艺术的关系，首先要追溯到铭文与古玺的关联。古玺是书法、铸刻的综合艺术，它从广义的角度，属青铜器范畴，称其为"青铜小器"甚为恰当。关于古玺与青铜器的关联，黄宾虹先生曰："古昔陶冶，抑埴方圆，制作彝器，俱

① 魏锡曾：《书〈赖古堂残谱〉后》，载韩天衡编订《历代印学论文选》，第524页，杭州：西泠印社出版社，1999。

② 魏锡曾：《论印诗二十四首并序·程邃穆倩》，载韩天衡编订《历代印学论文选》，第890页，杭州：西泠印社出版社，1999。

③ 黄宾虹：《古印概论》，载韩天衡编订《历代印学论文选》，第400页，杭州：西泠印社出版社，1999。

④ 方去疾：《明清篆刻流派印谱》，第50页，上海书画出版社，1980。

⑤ 陈澧：《摹印述》，载韩天衡编订《历代印学论文选》，第376页，杭州：西泠印社出版社，1999。

有模范。圣创巧述，宜莫先于治印，阳款阴识，皆由此出。”[1]黄宾虹认为古玺的起源与“陶冶”、“制作彝器”，即与陶器和青铜器制作有关。在曹锦炎先生所著《古玺通论》中，亦有一个生动的例子，并附图例。图 3－1 是一方黄宾虹旧藏古玺印，图 3－2 是将图 3－1 打在战国铜泡上而成为铭文的，这说明铜制品有时也要使用玺印[2]。古玺艺术“和青铜器器形、纹饰一样，创作中横向贯穿着时代的美学意识——对称和就形。‘就形’，即将纹饰和字的造型迁就所限或可占范围的形状。就形的印文，与一般文字相比，变形而规则，和印框组合在一起非常和谐”[3]。如战国“平阴都司徒”（图 3－3）、“公孙郾”（图 3－4）两玺，均为铜质。前者为阴文官玺，后者为阳文私玺，两玺玺面均为正方形。由于玺面的限定，前玺五字排两行，为“三二”布局，决定了“平阴都”三字呈扁方形，由于玺面左方有较大空间，“司徒”二字从容呈方形便在情理之中了。后玺三字“二一”布局的效果，便是“公孙”二字呈方形，而“郾”字必呈长方形。这是典型的文字就形，由此可见器形对文字造型与书法审美的影响。古玺文字“局限于方寸之间，因此，古玺文字构形变化所形成的特色，反而显得比其他同时代古文字（如简牍文字、铜器铭文等）格外突出”[4]。古玺文字的结构与玺面形态的和谐相映所形成的审美意义，即我们称之的青铜器造型与金文书法审美风格的内在一致性。“中国古玺在其产生过程中，或者说，在其孕育发展的过程中，是精美绝伦的商周青铜文化孕育、造就了它”[5]。因而，铭文风格与青铜器造型的演变过程便自然地进入了本节的探讨视野。

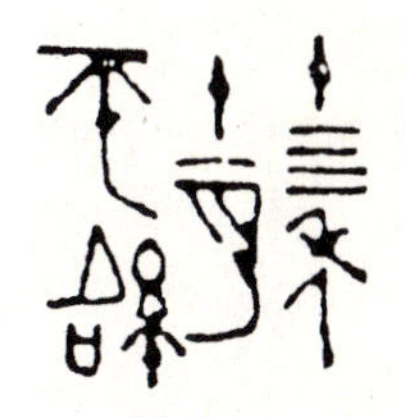
图 3－1

图 3－2

图 3－3

图 3－4

① 黄宾虹：《〈滨虹草堂印存〉序记》，载韩天衡编订《历代印学论文选》，第 692 页，杭州：西泠印社出版社，1999。

② 曹锦炎：《古玺通论》，第 51 页，上海书画出版社，1996。

③ 梁白泉主编：《国宝大观》，第 800 页，上海文化出版社，1992。

④ 曹锦炎：《古玺通论》，第 58 页，上海书画出版社，1996。

⑤ 陈松长：《玺印鉴赏》，第 4 页，桂林：漓江出版社，1994。

二、铭文风格随青铜器造型的演变

在器物与文字的关系史上，青铜器造型与铭文风格构成过密切的有机整合的对应关系。历来对青铜器进行艺术分析，通常更注重其形制与纹饰的演变与欣赏，同时，还应当有对金文书法风格与青铜器造型风格演变的内在关联的探讨。"铭文的产生与发展，与文字的发生发展有密切的关系，与青铜器铸造技术的进步，也有着密切的关系"[①]。1957年出土于河南偃师的乳丁纹爵，造型淳朴，纹饰简单，表面留有范铸痕迹。此时青铜爵的形制，有的尚有陶爵特征，其器形、纹饰已经注意到形态之美了。商代前期（二里岗期）的青铜器，如1974年河南郑州张寨南街出土、现藏中国历史博物馆的兽面乳丁纹方鼎，器壁较薄，以兽面、乳丁纹饰之，不施底纹，器表有清晰范线，有的合范接合也不严密，无铭文。再如1983年出土于"中国铜都"安徽省铜陵市西湖乡、现藏铜陵市文物局的一件饕餮纹爵，杜迺松先生认为："刻爵时代属典型的二里岗期器。"[②]从造型看，此爵直壁平底，以连珠纹和商前期常见的饕餮纹饰其腹，无底纹，无铭文，器形朴实。上述二器商前期器形特征十分明显，与二里头文化一脉相承。关于青铜器"何时有铭文，这是学者们一直关注的问题。20世纪50年代，商代前期（二里岗期）青铜器被文物考古界确认后，这一问题的解决开始明朗。郑州河南白家庄二里岗期的二号墓，出土铜罍的颈部有三个龟形图案。中国历史博物馆收藏的一件铜鬲，鬲上有一图文，该图文可以认定为'亘'字，从目前所见资料看，以上图文应该是目前所见最早的铜器铭文。铭文多表现为图画文字，是代表某一家族族徽的一种特定符号"[③]。商代早期青铜器上类似族徽图腾的文图，呈现出原始文字的

---

① 马承源主编：《中国青铜器》，第357页，上海古籍出版社，1996。

② 杜迺松：《在皖鉴定所见青铜器》，载《青铜文化研究》第1辑，第57页，合肥：黄山书社，1999。

③ 杜迺松：《全国铜器鉴定所见金文考察》，《新华文摘》，2002(4)。

象形特征，其质朴貌古的造型与同时期淳简的青铜器器形具有同步和融的审美关联。西周早期青铜器延续商制，西周早期的铭文，出现了长篇巨制。其时青铜器上普遍铸有纪事体的长篇铭文，沿袭了商末铸器记事的习惯。虢季子白盘(图 3－5)是西周后期的漱洗器，由于其精良的制作与宏大的体量，素与散氏盘、毛公鼎齐名，被誉为我国西周三大青铜器之一。器形长方平底，端庄俊畅，质朴无华。铭文(图 3－6)章法纵横成行，匀称整肃。字与字之间疏朗开阔至极，堂皇茂隽，表现出无尽的清新潇洒、劲爽通畅之意，与端丽宽容的器形相契意。铭文体裁基本上是四字韵文，语言洗练，句式工整，富有韵律，优美华丽。其器形、金文书法、铭文体裁在审美风格上达到了完美的统一。西周覆亡，王室东迁，历史进入春秋战国时期。整个社会生活日益从奴隶制体制下解放出来，艺术审美亦相随从巫术与宗教的笼罩下解放出来。社会生产力发展，民智开发，技艺日进。青铜器造型、纹饰大胆突破宗教神秘色彩，体现出强烈的清新感。战国后期冶铁工业兴起，青铜铸造业渐衰，列国文字各异，铭文书体多样化，直至秦始皇归于统一，即标准小篆。由此可见，纯粹意义上的金文随青铜器而兴衰。青铜器造型与金文风格的演变存在着审美上的内在一致性。探讨它们内在的审美关联，将会使被称为“青铜小器”的古玺艺术的审美渊源，拥有更加广阔的历史背景与更加雄厚的艺术积淀。

图 3－5

图 3－6

三、朴拙灵变——铭文之风

古玺是中国印章史中最为深奥古拙、变化奇妙的一类印章。如传说从安阳殷墟出土的三方铜质古玺，线条古拙，玺面文字拟处于族徽文图与古文字之间，章法奇诡恣意，表现出率性浪漫之美。春秋战国时期政治上诸侯割据，哲学艺术上百家争鸣、百花齐放，各家各派自由竞争，相互吸引，相互融合，使我国古代学术思想得到空前发展。人们的智慧表现在古玺艺术上，是造就了古玺艺术开放自由、跌宕多姿的时代特征和

图 3—7

古拙雄奇、博大灵变的艺术风格。再加之其时处于艺术的自由大璞期，工匠们心无碍滞、各显机巧、物我为一，达到了顺乎自然、顺乎情性的艺术至高之境。古玺艺术的审美理想，就入玺文字而言，朴实多趣，变化多端。战国时期七国争雄，领土此失彼得，易主频繁。根据较公认的研究成果，其时各国所通行的文字，可分为东土（齐、楚、燕、三晋等国）、西土（专指秦国）两大区域，并至少可分为楚系文字、三晋文字、燕系文字、齐系文字、秦系文字等系列，既错综复杂，又生动活泼，更各具特色。这其中，楚系文字流美散逸，楚玺文圆浑雄秀（图 3—7）；三晋文字由于历史背景相近（韩、赵、魏三家分晋），其文字风格亦基本近同，细劲齐整，三晋玺文亦劲秀细丽（图 3—8）；燕系文字匀称刚整，燕玺文规范工稳（图 3—9）；齐系文字挺健遒美，齐玺文匀称而粗犷（图 3—10）；秦系文字浑厚开张，秦玺文规整自然（图 3—11）。如此丰富多彩的文字，给先秦古玺艺术以及秦汉至明清印章篆刻艺术的篆法创造了巨大的选择变化与抒情达意的空间。

图 3—8

图 3—9

图 3—10

第三节　程邃的篆法新举与印艺实践

图 3—11

图 3—12

在程邃之前与同时期，将铭文参合入印的尝试并不鲜见，这其中如何震“汪东阳”朱文印（图 3—12）、王逢元“芙蓉花外夕阳楼”朱文印（图 3—13）、苏宣“啸民”朱文印（图 3—14）、文士英“鸢飞鱼跃”朱文印（图 3—15）、梁袠“丁承吉”朱文印（图 3—16）、胡正言“栖神静乐”朱文印（图 3—17）等等。此类印作有两个特点，一是皆为偶兴为之，随手刻得之作，作者用心不足，艺术效果也就不甚明显，并且此类印作不代表作者的主要篆刻风格。如何震篆刻宗秦汉，究六书，承文彭，印风主调为“端古雅健”；王逢元篆刻得力于书法，印风主调为“朴实清健”；苏宣篆刻宗师文彭，旁参何震，远规秦汉，印风主调为“阔博厚醇”；文士英篆刻师从金光先，偏好篆籀，印风主调为“韵古趣雅”；梁袠篆刻承何震而出新意，印风主调为“意端气爽”；胡正言篆刻取法何震平实一路又能运以己意，其印风主调为“严整稳健”，如此等等。二是正因为作者用心不足，随手拈来地将钟鼎古文排列于印面，才使得印作章法显得机械古板，缺乏篆刻作为一门艺术所特有的生机与美感。相较以上印作，程邃参合铭文与大小篆入印之举则有着鲜明的印风特色和深远的影响。

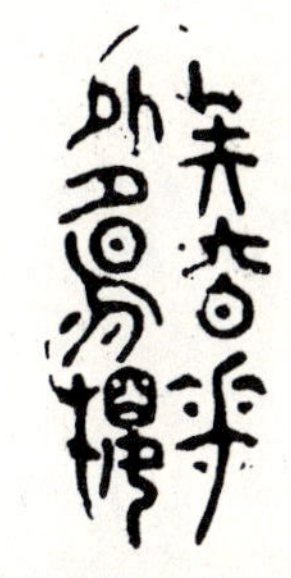

图 3—13

图 3—14

一、学识广博

程邃幼承家学，从族祖远季公、父程尧基游。他与万寿祺同师事于陈继儒，又从黄道周、杨廷麟等游，并与王士慎、龚贤、周亮工、施闰章等人关系密切。与这些良师益友、名人雅士交往，程邃必是受益匪浅。加之程邃家中收藏丰富，涉及历代碑帖、秦汉印章、法书、名画、古器物等等，长期熏陶其间，使他长于金石考证，博识古篆，兼精医术。其诗幽涩精奥，其画沉郁苍古，尤工隶书，皆能别具神韵。如此博学广识，为程邃的篆刻理念不断跃上新层次打下了深厚而扎实的学识根基。

图 3—15

二、灵变运用

周亮工曾指出，针对明末清初印坛陈陈相因之习气：“漳海黄子环，沈鹤生出以《款识录》矫之，刘渔仲、程穆倩复合《款识录》、大小篆为一，以离奇错落行之。”[①]黄枢，字子环，精辨金石，尤擅以钟鼎文入印，崇祯年间刻印辑有《款识录印谱》。周亮工所言《款识录》，应是黄枢的《款识录印谱》。关于款识，何震《续学古编》指出：“十四举曰：三代钟鼎，拨蜡为款，凸出；镂字为识，凹进。”[②]《款识录》即青铜器铭文。从周亮工《印人传》中可得知，与程邃同时在篆法上“复合《款识录》、大、小篆为

图 3—16

图 3—17

① 周亮工：《印人传·书〈黄济叔印谱〉前》，载韩天衡编订《历代印学论文选》，第 162 页，杭州：西泠印社出版社，1999。

② 何震：《续学古编》，载韩天衡编订《历代印学论文选》，第 55 页，杭州：西泠印社出版社，1999。

一"的,还有刘渔仲。刘渔仲即刘履丁,字渔仲,工篆刻。刘履丁在印史上名声不显的原因,周亮工在《印人传》中认为,刘履丁篆刻源于黄枢,程邃篆刻面世,使人们逐渐淡忘了刘履丁,更何况刘履丁所取法的黄枢呢。这说明程邃当时的印艺成就与名气的确非同凡响,也表明程邃参合青铜器铭文与大小篆入印得到了广泛的公认。此外,还有两位印人对程邃篆法的影响是不可不提及的,那就是与程氏同游学于陈继儒门下的万寿祺和稍前的朱简。万寿祺(1603~1652)字年少,崇祯三年(1630 年)举人,诗文书画、琴棋剑器无不精妙,明数理,通禅悦,具志节。周亮工《印人传》称万氏"精于六书,自作玉石章,皆俯视文、何"。万氏为饱学之士,且在印艺方面有"俯视文、何"之胆识,他与程邃在篆刻艺术方面定互有补益。朱简从陈继儒游学应稍先于程邃,因而朱、程二人堪称陈继儒的同门弟子。前已有述,朱简是明代印坛理论与实践同进共新的大家,他的碎刀短切刀法和"笔意表现"说,对程邃均有很大影响。在篆法方面,清人冯泌曾明确指出,程邃"朱文宗修能而又变其体"[①]。笔者曾梳理出朱简的篆法理念是"文随代迁,字唯便用",并认为朱简的篆法来源有三:一是古玺汉印至元明各种篆法;二是八分、权量、《神谶》、摹印刻符等;三是赵宧光草篆之"意"。程邃篆法在朱简处得到的启迪是首先要立足于"变",而非陈陈相循,因而程氏没有用"朱简篆法之体",而是走上了参合青铜器铭文与大小篆入印的篆法之径。程氏在篆法上的这一变,效果应是很明显的,诚如冯泌所言:"近日学者爱慕之。"[②]程邃在篆法上敢于破除陈规,参合青铜器铭文与大小篆等各类篆法灵变运用,既显活泼生动,又有古奥之趣,而且面目一新,丰富和发展了篆刻的艺术表现力。

---

① 冯泌:《东里子论印》,载韩天衡编订《历代印学论文选》,第 172 页,杭州:西泠印社出版社,1999。
② 冯泌:《东里子论印》,载韩天衡编订《历代印学论文选》,第 172 页,杭州:西泠印社出版社,1999。

三、形成特色

程邃参合铭文与大小篆入印的作品，其形式主要是朱文印，印风特色明显。白文印虽极少见，但刻得亦很精到。程邃的此类朱文印按其气韵，分为两类：一为古雅类，一为古朴类。古雅类朱文印以"床上树连屋阶前树拂云"、"少壮三好，音律书酒"(图 3－18)为代表作。铭文的主体气格应为"古朴"，程邃此类朱文印篆法中的"雅"气，当来自其参合的小篆中的清雅之韵。"床"印前已赏析，篆法虽采用大篆，但他运用归纳、增删手法将大篆的参差之势适度削弱而力近小篆规范形态，布局时简化"上"字，使印面形成了三纵三横的规则布局，以碎切刀法与粗犷印边增其古意。"少"印处理手法颇类似"床"印，只不过其印文为八字，所以用"三三二"式布局，纵有列而显得颇为有序。程邃此类朱文印古韵中透着清雅之意。另一类古朴类，以"垢道人程邃穆倩氏"、"穆倩"(图3－19)等为代表作。程氏此类印作力追青铜器铭文与古玺之古拙气韵，篆法线条斑驳，结体一任参差，布局力近自然，配以宽框，古韵中透出朴厚之气。程邃参合青铜器铭文与大小篆入白文印可能是偶兴一为，然却十分精到。如"蟫藻阁"印(图 3－20)，篆法主取大篆，布局力近自然，疏密之趣立现。虽然在篆法上"藻"上部与左部取自小篆，因他"参差错落行之"之法已运用得得心应手，故整印一气贯之而古意盎然。"安贫八十年，自幸如一日"(图 3－21)应为程氏晚年之作，古奥有致，老辣自如，如此功力与气息俱佳之作，将其放入古玺印中，绝可乱真。程邃上述印作的篆法直汲青铜器铭文之韵，融大小篆于一炉，堪称古亦奇，变亦新，从而形成了他"古穆苍凝"的印风特色，在其时印坛于文、何外别树一帜。

图 3－18

图 3－19

图 3－20

图 3－21

四、影响深远

历来评家认为程邃的篆刻艺术对"歙派"、"浙派"、"邓(皖)派"等皆有着深远的影响。简言之，他对"歙派"的影响是

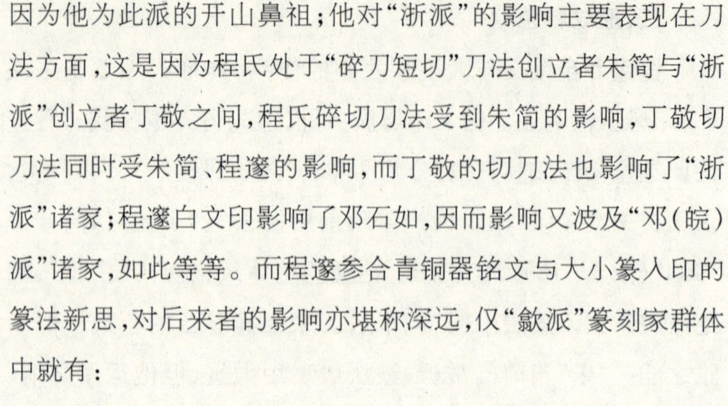

因为他为此派的开山鼻祖；他对“浙派”的影响主要表现在刀法方面，这是因为程氏处于“碎刀短切”刀法创立者朱简与“浙派”创立者丁敬之间，程氏碎切刀法受到朱简的影响，丁敬切刀法同时受朱简、程邃的影响，而丁敬的切刀法也影响了“浙派”诸家；程邃白文印影响了邓石如，因而影响又波及“邓(皖)派”诸家，如此等等。而程邃参合青铜器铭文与大小篆入印的篆法新思，对后来者的影响亦堪称深远，仅“歙派”篆刻家群体中就有：

吴万春，为清初篆刻家吴山之子，亦是程邃之婿。其父吴山篆刻不规模一家一派，任情为之。吴万春篆刻则是宗法其岳父程邃，尤其是朱文印方面，如第一章中提及的“水绘庵冒巢民真赏”朱文印(图1－50)，篆法上钟鼎大小篆参合为之，刀法碎切，章法随形布局。此印亦可称为印林中一巧构之作。

图3－22

童昌龄(约1650～?)清篆刻家。精六书，擅画竹石。黄学圯在《东皋印人传》中认为他以大篆入印“直似黄山垢道人”，观其“柴门老树村”朱文印(图3－22)，其篆、刀、章法一似程邃古雅类朱文印气韵，以至梁清标甚至认为童氏此类印作可与程邃齐驱。

图3－23

高翔(1688～1753)清篆刻家。书画皆精。其所刻“赏异”、“程镳”一类朱文印(图3－23)，能承程邃古雅类朱文印之形神。篆法取大篆形小篆意，参差中见规整，布局自然散落，框以古玺宽边，韵朴意清。

项怀述(1718～?)清篆刻家。擅篆隶。在“歙派”篆刻家群体中，项氏的位置拟为程邃之后、巴慰祖之前，是一位承先启后式的篆刻家。他精通隶法，因而其印中方意颇浓。赏析他的“纫秋兰以为佩”朱文印(图3－24)，较之程邃，他在篆法上能参合大小篆与隶意，结体化圆为方，颇具端庄清新之意趣。

图3－24

黄吕，清篆刻家。工诗书画印，被时人誉为“四美并具”。

其刻“天君泰然”朱文印(图 3－25)颇近程邃古雅类朱文印风,篆法取自大篆,并参小篆之意齐整之,加上布局时施以“田”字格,隽雅朴茂,形古韵新。

图 3－25

巴慰祖(1744～1793)清篆刻家。能书善画,收藏颇丰。受程邃印风影响,其能用大篆入朱白文印。其白文大篆印“董小池”前已赏析。观其“予藉”、“臣生七十四甲子”等朱文印(图 3－26),篆法或方或圆,布局疏密自然,使用宽边极近程邃手法。巴氏此类大篆朱文印气格醇茂,意近程邃古朴类朱文印风。

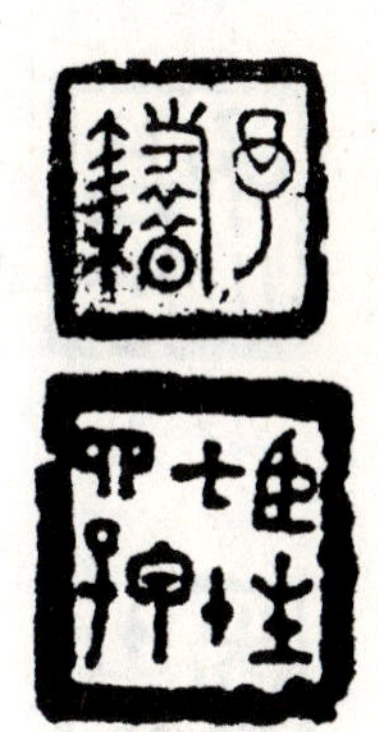

图 3－26

胡唐(1759～1826)清篆刻家。巴慰祖外甥。工书,四体皆精。篆刻受程邃、巴慰祖影响。胡唐很重视篆法,主张刻印“必专工篆籀,而后能造其极”。观其大篆朱文印“张公子”(图 3－27),在篆法与布局方面,方圆疏密处置皆称恰当,能与程邃、巴慰祖此类印风气息一脉相承。

图 3－27

巴树谷(1767～1800)清篆刻家。篆刻承其父,与胡唐相伯仲。与巴慰祖同样,他亦能用大篆入朱白文印,如其用铭文所刻“巴树谷之玺”一类白文印,能神近古玺。其所刻“辛蕲氏”朱文印(图 3－28),篆法直取铭文,并且能够从点画、结构的配置等方面来丰富篆法的表现力,如笔画方圆的搭配,线、面的交替出现等。用刀较之巴慰祖更显精细,使线条笔意时现。其大篆朱文印风在大格上与其父及胡唐同样,皆与程邃古朴类朱文印风相类。

图 3－28

吴文征,清篆刻家。诗书画印皆工。其所刻朱文印“友多闻斋图书印记”(图 1－53),一承程邃印风,参合铭文大小篆为篆法,刀法碎切,章法纵有列,配以宽边。其中“图”字皆用圆形构字,形成了此印篆法的一大亮点,可窥其配篆布局之胆气。整印气格颇近程邃古雅类朱文印风。

此外,程邃同时期或之后,除上述“歙派”篆刻家之外,在不同程度上受到他参合铭文与大小篆入朱文印影响的篆刻家还大有人在。如戴本孝(1621～1693),其印作有“真赏”(图3－29)

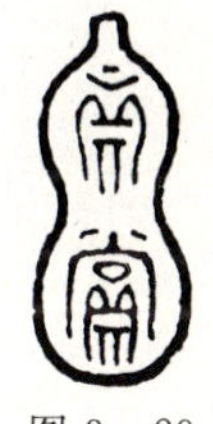

图 3－29

图 3—30

图 3—31

等；顾苓（清初），其印作有“渺渺兮予怀”（图 3—30）等；沈凤（1685～1755），其印作有“谦斋”（图 3—31）等；丁敬（1695～1765），其印作有“纯礼坊居人”（图 3—32）等；董洵（1740～1812后），其印作有“衣云和尚”（图 3—33）等；黄学圯（1762～?），其印作有“悔之晚矣”（图 3—34）等；瞿应绍（1780～1849），其印作有“南孙”（图 3—35）等；赵之琛（1781～1852），其印作有“宝穰”（图 3—36）等，如此等等。总之，“程邃所处明末清初印坛，由于顾氏《印薮》的影响，以致‘今人能手能刻木’，而程邃篆刻创作以《款识录》的字法，复合《款识录》、大小二篆并金石、钟鼎奇字入印，反时流而行之，遂能脱俗而出”①。

图 3—32

图 3—33

图 3—34

图 3—35

图 3—36

① 王霖：《程邃篆刻艺术研究》，载《明清徽州篆刻艺术研讨会》，第 118 页，杭州：西泠印社出版社，2008。

第四章

邓石如："以书入印"及对写意印风的启示

邓石如在篆刻艺术上创立了"邓(皖)派"印风。其好友李兆洛在《邓完白山人石如刻印诗》中曾给予了高度评价，"使铁如使毫，所向无不宜"，"邓翁负绝学，追冰而及斯"。从事一门艺术，被同代人誉为"所向无不宜"、"负绝学"，应是具有很高的艺术造诣才能相称的。"邓(皖)派"印风由于在清代篆刻史上占有重要位置，因而在中国篆刻史上也堪称熠熠闪光的一页。

第一节　书艺渊源与成就

邓石如在篆刻艺术方面有一个重要理念，即"以书入印"、"印从书出"。因而探讨"邓(皖)派"印风，首先当略溯邓石如的书艺渊源与成就。

邓石如在艺术上首先获得成功并使其彰名的是书法艺术。在书艺方面又首推篆隶书，"乾嘉之际，完白出而篆隶面目一新。布衣一剑，继往开来，易为斯学艺祖。慎伯奉为国朝第一，不虚也"①。而正是他的篆隶书名声之显，在客观上形成

① 《邓石如研究丛刊》第1辑，第38页，合肥：中国书法家协会安徽分会，1983。

了对其楷行草书成就的遮掩之实。邓石如的楷书上溯魏晋，苍古质朴，端庄自然；行草书筋骨皆具，风神开张。从现存作品分析，一个有意味的现象是，无论其楷其行其草，篆隶笔意皆充盈其间。邓石如的篆书，宗“二李”(李斯、李阳冰)，但不以为囿，他博览广取，“以国山石刻天发神谶碑、三公山碑作其气，开母石阙致其朴，之罘二十八字端其神，石鼓文以畅其致，彝器款识以尽其变，汉人碑额以博其体。举秦汉之际零碑断碣，靡不悉究，闭户数年不敢是也”[①]。加之其驱之以长锋羊毫，融之以隶书笔法，所作篆书呈现出一种圆润舒展、苍古雅健的清新之美。对此，康有为曾给予很高评价：“吾常谓篆法之有邓石如，犹儒家之有孟子，禅家之有大鉴禅师，皆直指本心，使人自证自悟，皆具广大神力功德以为教化主，天下有识者，当自知之也。”[②]邓石如的隶书从汉隶脱化而出，深得《曹全》之遒丽、《张迁》之凝重、《华山》之恣纵、《衡方》之浑厚……汲取百碑之精华，融会篆草之笔法，方正古朴，特色独具，一派大家气象。邓石如在篆隶方面较显著的特色之一，便是隶从篆入，篆从隶出，篆隶融之。他以写隶书的笔法来写篆书，又以写篆书的笔法来写隶书，从而使他的隶书具有“绵裹铁”的篆法特征，而篆书又具备了“紧密方正”的隶意之美。他的这种篆隶书法的创作理念可视为其后来篆刻艺术中“印从书出，书从印入”、书印融之的艺术实践的先兆。对于邓石如在书法艺术上的历史贡献与地位，有代表性的评价是沙孟海先生《近三百年的书学》中的一段话：“清代书人，公然为卓然大家的，不是东阁学士刘墉，也不是内阁学士翁方纲，偏偏是那位藤杖芒鞋的邓石如。”

---

① 《邓石如研究丛刊》第1辑，第41页，合肥：中国书法家协会安徽分会，1983。

② 康有为：《广艺舟双楫·说分第六》，载《历代书法论文选》，第790页，上海书画出版社，1979。

第二节 “以书入印”创“刚健婀娜”印风

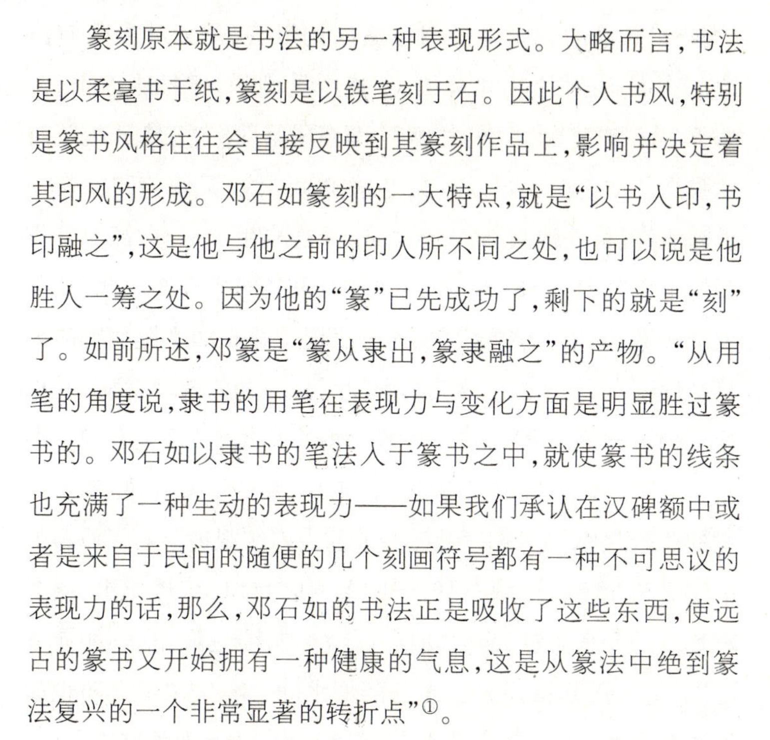

篆刻原本就是书法的另一种表现形式。大略而言，书法是以柔毫书于纸，篆刻是以铁笔刻于石。因此个人书风，特别是篆书风格往往会直接反映到其篆刻作品上，影响并决定着其印风的形成。邓石如篆刻的一大特点，就是“以书入印，书印融之”，这是他与他之前的印人所不同之处，也可以说是他胜人一筹之处。因为他的“篆”已先成功了，剩下的就是“刻”了。如前所述，邓篆是“篆从隶出，篆隶融之”的产物。“从用笔的角度说，隶书的用笔在表现力与变化方面是明显胜过篆书的。邓石如以隶书的笔法入于篆书之中，就使篆书的线条也充满了一种生动的表现力——如果我们承认在汉碑额中或者是来自于民间的随便的几个刻画符号都有一种不可思议的表现力的话，那么，邓石如的书法正是吸收了这些东西，使远古的篆书又开始拥有一种健康的气息，这是从篆法中绝到篆法复兴的一个非常显著的转折点”①。

邓石如起于印坛之始，已有以丁敬为代表的“浙派”声显于印坛。邓石如出，清代印坛即形成了“浙派”、“邓(皖)派”比肩之势。在篆法上，邓石如将自己深厚的篆法功力直接用于刻刀之上，以刀代笔，在印石上“书”起了他独特的“邓篆”。在刀法上，邓之前的明代歙县人汪关善用冲刀，休宁人朱简亦提出了“使刀如使笔”②的论述。对这些，邓石如应已神合，再加之他以“歙派”程邃冲刀法为基，参以“浙派”阳刚之刀意，行刀如笔，既柔且刚。在章法上，他尽得阴阳之妙，计白当黑，疏可走马，密不通风。邓石如在篆刻艺术实践中开创性地将汉印

---

① 刘墨：《〈广艺舟双楫〉的理论基础及其历史效应》，《中国书法》，2005(7)。

② 朱简：《印章要论》，载韩天衡编订《历代印学论文选》，第144页，杭州：西泠印社出版社，1999。

文字由方折化为圆劲，朱白文印风特点一承其书之韵，刚健婀娜，使得他的篆刻艺术在篆法、刀法、章法及审美理念上达到了令人耳目一新的境地。邓石如朱文印风代表作"逸兴遄飞"(图4－1)，篆法完全是他自己篆书的风貌，用刀冲中带有涩意；尤引人注目的是其章法，工整中见洒脱，穿插中有揖让。由于"飞"字左上角之布白，使印面布局呈现出"三密一疏"，对比强烈。加之左上角以篆文笔画代替边线，又使整印流利中见简洁，沉稳处现潇洒，一气呵成，天趣横生。另有"江流有声断岸千尺"(图4－2)，是邓朱文印中著名的代表作。此印"印文圆转遒劲，用刀流畅滋厚，充分表现了邓石如刚健婀娜的风格个性。布局上，'江'字与'岸千尺'呈对角的疏朗对应，并构成于相对一侧的虚实对比，使作品既平衡稳定，又具有鲜明的疏密空间变化，是体现'疏处可以走马，密处不使通风'章法原则的典范之作"[①]。加之此印边款的内容客观地显示了邓石如的文采与激情，"一顽石耳，癸卯菊月客京口，寓楼无事，秋多淑怀。乃命童子置火具，安斯石于洪炉，顷之取出，幻如赤壁之图，恍若见苏髯公先生于苍茫烟水间。噫！化工之巧也如斯夫"(图4－3)。作者印艺与意境融为一体，确为完美之作。

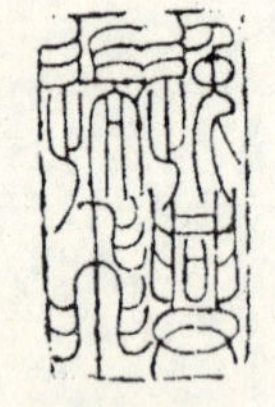

图 4－1

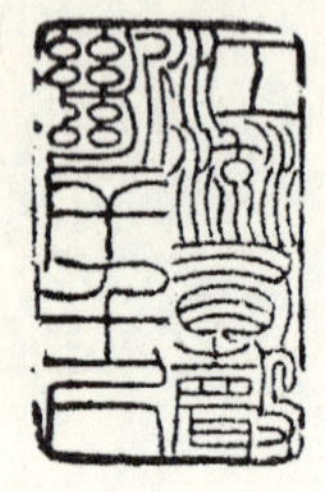

图 4－2

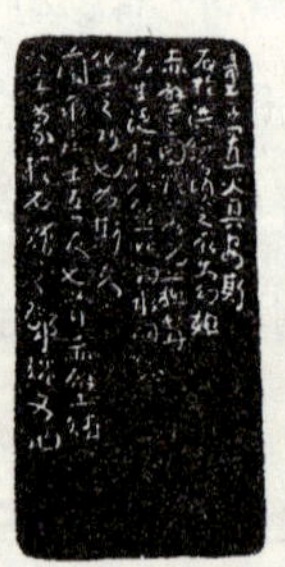

图 4－3

图 4－4

邓石如白文印风的代表作如"淫读古文甘闻异言"(图 4－4)，印从书出，脱尽汉法，在客观上淡化了刀味，增强了"以刀代

① 韩天衡主编：《中国篆刻大辞典》，第 667 页，上海辞书出版社，2003。

笔"即书写的笔趣，作者书法艺术的笔意之美，在印面上得以充分展示。邓石如此类印风，"可以说是邓氏新创的风格。以小篆作白文这一古来的忌律，在邓石如手下被突破，也为后来的吴熙载、徐三庚、吴昌硕开启了一条门径"[①]。

邓石如的篆刻艺术以其从审美理念到技法诸方面所呈现出来的崭新风貌，引人注目并风行于乾嘉之际。以他为代表的"邓(皖)派"印风与以丁敬为代表的"浙派"印风，成为嘉道之后影响广泛的两大篆刻流派。师从邓石如或受其印风影响者众多，这众多师承者便组成了"邓(皖)派"印风的强大阵容。其中的佼佼者，当推吴让之与赵之谦。吴让之是邓石如学生包世臣的门生，应是邓石如的再传弟子，精书善画。吴让之早年摹汉印，后见邓石如篆刻，即折服，"尽弃学而学之"。他认为"以汉碑入汉印，完白山人开之，所以独有千古"[②]。吴让之对"邓(皖)派"印风的贡献，一是他身体力行邓石如"印从书出"的篆法理念；二是用刀冲中有披削，更加丰富了邓石如的篆刻刀法。他宗邓善学，因而才有吴昌硕的感慨："学完白不若取径于让翁。"[③]赵之谦篆刻广取博采，入浙入皖，印风独特，卓然成为晚清篆刻大家。关于赵之谦的流派归属，评者大多以其为"邓(皖)派"。究其原因，笔者以为黄惇先生之评尤近史实。他认为若说到赵之谦的印风渊源，"应该说浙、皖对他都有影响，其中又受巴慰祖、邓石如的影响大些，而且他'印外求印'等思想更接近于邓的'印从书出'，所以风格上较接近于皖宗"[④]。赵之谦对"邓(皖)派"印风的贡献，一是他使入印文字的取法范围更加广泛；二是其用刀锐钝并用，表现力更丰富；三是为印章

---

① 孙慰祖编著：《邓石如篆刻》，第17～18页，上海书店出版社，2001。

② 吴让之：《赵㧑叔印谱·序》，载韩天衡编订《历代印学论文选》，第607页，杭州：西泠印社出版社，1999。

③ 吴昌硕：《吴让之印存·跋》，载韩天衡编订《历代印学论文选》，第598页，杭州：西泠印社出版社，1999。

④ 刘正成主编：《中国书法鉴赏大辞典》，第1564页，北京：大地出版社，1989。

边款的表现提供了新的形式;四是他提出篆刻应具“有笔有墨”之新说。吴、赵之后,受“邓(皖)派”印风影响并有大成就者当推吴昌硕和黄士陵。“邓(皖)派”印风篆刻家群体阵容强大,除上述邓之后的吴让之、赵之谦以外,还有胡澍、徐三庚等等。总之,“邓(皖)派”印风的泽被领域可谓纵横广大。

由于邓石如的篆法是“以书入印”、“印从书出”,他的书法艺术审美理念支配影响了他的印风审美理念。因此,邓石如的书法艺术,特别是其篆隶书艺术的审美理念,可视为他印风审美理念的出发点或根基。梳理一下历来学界对邓石如书法审美理念的研究,大致可有以下几个方面,这也是邓石如对传统书法篆刻艺术的杰出贡献之所在。

一是“以书入印”、“印从书出”、“书从印入”的篆法理念,邓石如创造性地将书写篆书之法直入印面,又在印文篆法中渐悟并滋养其篆书的写法,达到了书印相融、印书合一之境;二是首倡“计白当黑”、“疏处可以走马,密处不使通风”的章法理念,他将书印作品的虚处之美提高到了与实迹一样的重要位置,又将书印作品的布局之法经营比喻得恰当且新颖;三是强调要明了“规之所以为圆”、“方之所以为矩”之理,如在书法艺术中隶方篆圆,他就将篆隶方圆之意融之,在篆刻艺术中,邓印“刚健”与“婀娜”的矛盾统一,实质上正是“方”与“圆”的统一,这又道出了书印艺术的美学高新境界。当然,邓石如在书印艺术方面的贡献还远不止这些,穆孝天先生就曾列举过邓石如关于“字内字外功”方面的真知卓见,等等,正有待学界的不懈探究。此外,邓石如众多师承者,即“邓(皖)派”印风中的一些重要人物的贡献,如邓石如刀法经吴让之发展为冲加披削之刀法;赵之谦从邓“以书入印”所提炼延伸的“印外求印”、“有笔有墨”的理念;吴昌硕在篆法刀法上的出新及黄士陵对“邓(皖)派”工致一路印风的发展等等,都属于对“邓(皖)派”印风的拓展与贡献,也有待学者们不断挖掘研究,服务当代。

第三节 邓石如印风对写意印风的启示

历来艺术从属于文化，文化从属于时代，印风作为艺术审美的一种取向，必与时代审美情趣紧相关联。历史地看，审美风格的发展规律是物极必反，即工久必写，写久必工，工写交替，由此轮回向前发展，而且下一个轮回必新于上一个轮回，如此不断推动着艺术的创新。这是艺术史，也是篆刻史发展的必然，这如同印史上不同时期出现的诸如古玺汉印、明清流派印风一样，是一个历史时期内的产物，并可能延续一个相对比较长的时期，并成为该时期的主导印风。这种主导印风的风格特征是交替的，如古玺主写意，秦汉印风就工稳，宋元押记主写意，明清篆刻流派就宗秦汉而趋向工稳。

一、写意印风的演变

先秦古玺的主导印风是写意印风的主要原因，其时哲学上、艺术上各家各派自由竞争，相互吸引，相互融合，学术思想得到空前发展。人们的智慧表现在古玺艺术上，造就了古玺艺术雄拙灵变的艺术风格。再加之工匠们物我为一，达到了顺乎自然与情性的艺术至高之境。仅以文字为例，汉字中的象形字，是先民们摹描所见到的物象的实体形象，他们抓住物象的要点，即摹描出该物象的特征，用以区别于其他物象(字形)。现在看来，先民们在做此件事情时用的就是写意手法，有的甚至是大写意手法。当然，这种(大)写意手法是先民们在非自觉意识中表现出来的，也可以认为这是图腾—文字—古玺写意的初始阶段。因而写意印风成为先秦古玺的主导印风，应尽在逻辑之中。秦印严整庄重、婉通遒美，其风格特征既少有先秦古玺之奇崛，又不似后来汉印风格之方厚，介于先秦古玺与汉印之间，也可以说写意之风未尽，工稳之风未丰。如秦官印"左中将马"(图4—5)，篆法取自秦权量、诏版，自然

图4—5

图 4－6

图 4－7

图 4－8

图 4－9

图 4－10

图 4－11

风趣；章法安排上加“田”字格，使印面灵动中见整齐。再如秦私印“王越”(图 4－6)，“日”字格中线以篆字笔画多少而定位置，右边“王”字笔画简而位置窄，左边“越”字笔画繁而位置宽，篆法上收下放，结体修长，整印平稳中有变化。秦印在篆刻史上的作用，可说是战国古玺到汉印的一个过渡，并直接影响到汉印风格的演变。汉印风格容量广大，形成了中国印章史上的高峰期。如汉官印“三封左尉”(图 4－7)，篆法方圆得宜，四字分布占印面位置均衡，自然形成“一疏三密”的章法构成，整体和谐。再如汉私印“上官建印”(图 4－8)，与“三封左尉”印在篆法、章法上同韵，呈现出调和稳定之美。有趣的是汉印并非完全统一在印面工稳的格式之中，与工稳一类印章有较大风格差异的是将军印(图 4－9)。将军印大都属于一种“急就章”式的为实用目的而做，即兴而成的因素很大，这样的匆忙之作易造成线条的变化与印面的构成处于一种较率意的状态之中，洋溢出舒展豪放之美。另有如“潘刚私印”(图 4－10)一类，印文线条曲折婉转，使印面在充实中显灵动。再有印文笔画中饰以鸟头或鱼虫状，谓之“鸟虫书”印者，如“新成甲”印(图 4－11)，亦有趣新生动之美感。归纳看来，将军印、鸟虫书印等一类印章风格，抒情性强且意象动荡，所构成的审美理想当属写意印风范畴。但无论东西两汉时期，还是官私印印章领域，平整规范一路的印风还是占多数，方整与端庄是汉印风格的基调。因而就汉代印章风格而言，其主导印风，当推宽博方正、浑穆典雅、平实匀整的工稳印风。汉代与明清是中国印章史上的两座高峰。随着元代大德年间吾丘衍《学古编》印学基础理论的问世，元末王冕创用花药石刻印赋予了篆刻艺术能独立存在的重要条件，印章史可称之为篆刻史的发端形成了。明代文人的自篆自刻，使篆刻具有了作为欣赏艺术的内涵与外延。明初篆刻延续元人传统，白文宗汉，朱文法元，体现出白文守质朴、朱文求清丽的审美理想。文人印的宗祖文彭，其诗文、书法、篆刻均有文脉渊源。文彭"精研六书……创作一丝不苟，朱文作细边，参以小篆结体，圆劲秀丽；白文师法汉印"[①]。他的朱文印"七十二峰深处"、白文印"天外宾"(图 4－12)等，端丽清新，印风工稳。印名与文彭并列被后人称为"文何"的何震，初受文彭启迪，后能突破藩篱。他立足汉印，入古出新。他的印风虽为后人评为"猛利"，笔者以为，他的"猛利"之处在刀法，是他的刀法表现并蕴藏了诸多新的意味，而他的篆法与章法仍在汉印格局之中，印风的总体印象是貌似抒意而质为工稳。与其同时期的苏宣的印风与何震的大致同路。明代末期朱简碎刀短切，沉着且流畅，奇不离正；汪关冲刀稳实，朴茂兼备，意在溯汉。上述明代文(彭)、何(震)、苏(宣)、朱(简)、汪(关)五大家之印作，开拓了文人篆刻艺术之先河，新意迭出，其基本印风皆为宗汉的工稳风格。成为后来"歙派"代表人物的程邃，其篆刻为宗古玺古篆汉法，其印风大格应与上述文彭等五家一路。清代官印的最大特点是印文用汉满文对照，汉文直取小篆，满文楷、篆皆有。值得指出的是，太平天国洪秀全的玉玺(图 4－13)用字则是前所未有的宋体美术字，这样的举动，启迪了现当代官印(公章)用字。而对清代篆刻艺术影响最大者当为以丁敬为代表的"浙派"和以邓石如为代表的"邓(皖)派"。对于丁敬篆刻，历来评其"取法朱简，以汉印为基，参以隶法"为多。其实，丁敬篆法简括高古，切刀疾涩苍炼，章法灵变，实基于他取法广博之故，如其朱文印"丁敬身印"，白文印"龙泓馆印"(图 4－14)等，风格淳正古雅，宗古法而出己意。以丁敬为代表的"西泠八家"为"浙派"篆刻之中坚，丁敬的印风亦代表了"浙派"篆刻的特点：篆法基于汉印而简练于汉印，多用短刀涩进之切刀法。具有"宗汉"、"简"、"涩"之特点的"浙派"篆刻艺术以平直方正为主，基

图 4－12

图 4－13

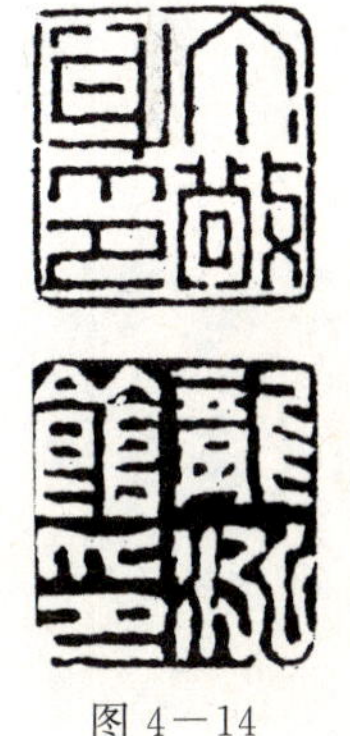
图 4－14

① 方去疾：《〈明清篆刻流派印谱〉序》，上海书画出版社，1980。

本上是汉印的优秀传统，出新之处在刀法、篆法，其印风大致属工稳范畴。“邓（皖）派”创始人邓石如别开生面，他突破前人“印中求印”的理念，以汉碑额等糅就的小篆书和以汉隶为宗的隶书入韵，以刀为笔，直入印面，笔情墨趣俱现，刚健婀娜兼有。邓石如印风对写意印风的启示后有详论。其后晚清六家印风各呈现特色：吴让之是邓石如再传弟子，印如其书，书印合一，篆法清妍，刀法切冲披削并用，印风灵动；徐三庚篆法参以汉碑篆额及《天发神谶碑》意韵，疏密夸张，用刀亦冲亦切，淋漓酣畅，印风飘逸；赵之谦融会浙皖，并以古碑、器文图入印、款，刀法锐钝兼用，印风奇宕；胡镢宗汉法，篆法参以诏版之意，章法疏朗，刀法凝练，印风高古；吴昌硕以石鼓文为本，突现笔意，使用“出锋钝角”刻刀，辅以敲击磨擦之法，印风奇崛；黄士陵取法三代秦汉，篆法古雅高旷，薄刃冲刀，光洁妍美，印风秀雅。“晚清六家通过相互影响，在书体的应用，印文的构思，款式的处理等方面都能推陈出新，另出新意，为篆刻史留下璀璨的一页”[①]。此评不仅适应晚清六家，同样适应清代印坛。

综合分析秦汉至宋元明清印坛篆刻风格，概言之，秦印为古玺至汉印的过渡；方整与端庄是汉印工稳印风的基调；其后宋元印中的花纹印、元押印等尤能体现此时期印章的写意特征；明人印风宗汉工稳；清人印风以工稳为主导，但已趋向多元。值得注重的是，明人徐上达在《印法参同》中已发出了有关写意印风的理论先声；在清代多元印风中，写意印风亦占有一席，其代表人物当推高风翰和吴昌硕，这其中当包括邓石如“工中有写”的印风。

所谓“写意”，写者，“输写其心也”[②]；意者，“志也，志即识，

① 方去疾：《〈明清篆刻流派印谱〉序》，上海书画出版社，1980。

② 段玉裁：《说文解字注》，第340页，上海古籍出版社，1981。

心所识也"①。写意反映在篆刻艺术上，注重的是表现和抒发篆刻家内心世界动荡而丰富的激情。综上所述，中国篆刻史，就其艺术风格而言，是一部写意与工稳风格相互转换为主导印风的发展史：先秦古玺写意印风—秦汉印章工稳印风—宋元印章写意印风—明清篆刻流派工稳印风……

艺术的生命力在于变，在变中出新，写意印风亦不例外，它与印史上篆刻艺术变法出新的发展轨迹相似，也是从审美理念、篆法、刀法、章法诸方面综合进行的。在这方面，"邓(皖)派"印风的成功经验对写意印风的启示是多方面的。

二、善学善变的理念对印艺出新的推动

从创新理念和实践方面，笔者注意到一个有趣的史实，即在邓石如之前声夺印坛的"浙派"诸家，其基本特征是：篆法以方为体，刀法以切为本，章法以稳为格。而绝顶聪明的皖人邓石如的"邓(皖)派"印风，恰恰是反其道而行之：篆法以转为势，刀法以冲为基，章法以动布局，遂开印风新貌。历来论者认为，篆刻艺术大致可分为"印中求印"、"以书入印"、"印外求印"三个发展阶段。这其中最关键的转折点或曰桥梁应是"以书入印"。篆刻家们由"印中求印"(印宗秦汉)的传统，经过"以书入印"的桥梁，到达"印外求印"的新境。通过这一过渡，篆刻家们才惊喜地发现"印外求印"的天地是何等的广阔！在"邓(皖)派"印风发展过程中，正是邓石如首倡并实践了"以书入印"的篆法新思，并使赵之谦受到极大启示而"印外求印"，开创了篆刻艺术的新途径。前述邓石如篆刻的写意倾向更多地表现在入印文字的处理效果上，以书入印后的印面篆法流畅多姿，毫无滞意，这正是邓石如篆刻的独到之处，亦是一种高手刀石碰撞表达写意的新法。"在邓石如身上，由于他书法特别是篆书的高度成就，这种创作状态恰恰使他有意无意摆

① 段玉裁：《说文解字注》，第502页，上海古籍出版社，1981。

脱了当时徽派篆刻以至于整个印坛流行的以工致为尚的风气，流露出篆刻史上具有写意倾向的新手法。这实际上是对世风重技巧、重经营的一种反叛，这一表现在后期更为明显。对后世的篆刻艺术创作观、审美观产生了革新的影响"①。

三、"以书入印"、"印外求印"的篆法新思对写意印风篆法写意性的示范

篆刻者，"篆"为笔法，"刻"乃刀法，可见"篆"在"刻"前，即"笔"在"刀"先。篆刻用字，可遵古自运，即既讲来历，也不必斤斤计较于不变，因为篆法是为"美"的审美理念服务的。邓石如倡导并力行的"以书入印"的篆法新思，从一个方面揭示了"邓(皖)派"印风之所以能立宗成派，是因为其印风发端于篆书书法卓然成大家的史实。在"以书入印"的实践探索方面，从邓石如的一些篆刻作品中已可明显感受出其书风与印风统一的态势，如前所述白文印"淫读古文甘闻异言"，朱文印"逸兴遄飞"、"江流有声断岸千尺"等一路印风。而真正达到书风与印风高度统一的是受到邓石如"以书入印"篆法理念启示的"邓(皖)派"印风中的重要人物吴让之、赵之谦、徐三庚、吴昌硕等等，他们无一不是在篆书书法上创造出自己独特的面目，然后在篆刻上开创了自己所特有的、与众不同的印风，从而表明印风的突破首先在于篆法(书法风格)的确立。篆书艺术来源于古文图，装饰性与美术性强，极具艺术美感；加之篆书线条流畅，又具有抒情性和抽象写意性的特点，当它们融入艺术家们的审美理想，各具风貌，成为入印文字后，也就将书法艺术的多姿之美和审美新质的生命力带入了篆刻艺术，这正是写意印风篆法所需要的抒情写意之美。历史地看，关于入印文字(篆法)，秦汉印为适应印面的需要，通常是将当时通行的篆书稍加变形，并已有隶书入印的实例。隋唐以后，入印文字范围扩大至楷、行等书

① 孙慰祖：《邓石如篆刻·邓石如篆刻作品系年》，第17～18页，上海书店出版社，2001。

体。从邓石如“以书入印”而派生发展出的赵之谦“印外求印”的篆法新思更进一步拓展了篆法“印外”取材的广阔领域，这样更能使入印文字风格纷呈，抒情达意。

四、在冲刀基础上创新刀法对写意印风用刀的神助

书重笔法、刻重刀法。真正意义上的篆刻刀法，至石印方始。在篆刻艺术中，对于书法艺术中的笔法的审美理想起着延伸意义的刀法，虽说历来只偏重于切、冲两大类，却能因人而异，极尽变化。切刀法，不止不流，若即若离，成就了丁敬清劲利爽及凝练苍莽的“浙派”印风；冲刀法，舒展自如，顺乎自然，造就了邓石如刚健婀娜及婉转流畅的“邓（皖）派”印风。“浙派”中的钱松不满足现状，切中加削，便能令人耳目一新；“邓（皖）派”中的吴让之以刀代笔，刀笔相融，遂开刀意新境；吴昌硕将钱松刀法与吴让之刀法融为一用，便现浑朴苍茫之美，如此等等。善变的大家们都能用刀将书法美的线条演化至令人玩味无穷的意境，这足以说明刀法的重要性和用刀变法的必然性。写意印风对刀法的探索运用是力求抒情、出新的。因而在刀法的变化上更多地采用了表现构成的形式与易于变化的单刀直入加复刀、补刀的技法，从而使印面艺术语言更加畅快，更具审美理想的“刀趣”。这种单刀直入加复刀、补刀的刀法，拟更多地得力于“冲”，因为只有“冲”，才有“畅”；而只有情“畅”了，才能用刀在石上“写”出篆刻家胸中的“意”与“趣”。理由很直接：冲刀更利于写意抒情，淋漓痛快。

五、“疏可走马，密不通风”、“计白当黑”布局理念对写意印风章法审美的先导

一种新的审美理念能启示作品形式的改变，推动艺术实践的出新；而丰富的艺术创作实践又能反过来引发审美观念的改变，这便是艺术发展的规律。“邓（皖）派”印风对篆刻作品形式美感的探索与实践，自邓石如就每有创见。邓石如对篆刻艺术章法的理解可谓宏观而精致，比喻也十分独特而形

象。他的“疏处可以走马,密处不使通风”的审美理念,道出了艺术作品章法布置上疏密对比的辩证关系。邓石如还指出“计白当黑,奇趣乃出”。他认为仅有形式的疏密是不全面的,要紧的是虚实得当,疏密和谐,才有“奇趣”。写意印风的章法每每首先显现出来,而且篆刻家们每每以线条图式的组合来构筑自己的审美理想,这种“图式”组合的本质,就是印坛经常论及的写意印风的“美术化”倾向。有意味的是,这与皖派印风“以书入印”的实际效果颇为吻合:邓石如等用篆书直接入印,恰恰淡化了印坛历来津津乐道的“金石味”,而在不经意中强化了视觉上的美术性。对于写意印风章法上的“图式”组合,或曰“美术化”倾向、“画理入印”等等,历来文人皆提倡诗书画印融为一体,那么,以诗意入印,以画意入印,来探索印风的出新途径,亦是一种有意义的尝试。

图 4—15

图 4—16

在印史上具有创新理念的篆刻家们总会将自己的艺术审美目光放到前人尚未发现或有所发现但没有得到应有重视、且具有发展潜质的方面去,发掘新质,融出新境。犹如赵之谦善于继承邓石如精髓,广取专出;再如齐白石对赵之谦“丁文蔚”(图 4—15)一印风格的独具慧眼,为己所用等等(图 4—16,“百梅楼”,齐白石刻)。在此意义上说,“邓(皖)派”印风对写意印风的启示和借鉴远远不止上述理念、篆法、刀法、章法方面,其中许多有价值的潜质因子,正待有识之士去探索揭示。如从邓石如流传下来的篆刻作品看,客观地说,也并非件件精品,确有一些不完善之作。之所以能流传至今不衰,这是因为他的作品中存在着一种“潜质张力”,或曰“有价值的因子”。或可以这样认为,由于种种历史原因的限制,邓石如的艺术理念在其创作实践中有时表达得不太清晰明确,但往往在这不经意中透露出来的大家的思考心迹与审美信息却实实在在地启示了后人,为后人指出了篆刻艺术审美的新取向。

第五章

黄士陵："万物过眼即为我有"与隶意融印

黄士陵是清末印坛的一代杰出大家。他本着"海纳百川，有容乃大"的印学思想与篆刻实践，不断变革，终成自己光洁峻挺的独特印风。黄氏刻印大多留款，且印款内容十分丰富，皆为其刻印时的所得所感，文词平朴隽永，为印坛留下了珍贵的第一手资料。从这些印款自叙中，可以较清晰地梳理出黄氏横汲明清，纵溯三代秦汉，纵横融变，铸己印风的印艺历程。

第一节　纵横融变　铸己印风

一、横汲明清

黄士陵印风形成过程中横汲明清诸家的经历，历来论述可简要归纳为始习浙，再习邓(石如)、吴(让之)，尤受赵之谦印风启示。然笔者以为，这还不够全面，还应注意以下两点。第一点是他在"始习浙"之前的少年时代受到其父黄德华(字仲和，通诗文及文字训诂之学，著有《竹瑞堂集》)的濡染传授，在八九岁时对篆刻发生兴趣并有条件开始习印，这段经历与他后来在南昌出版《心经印谱》时其弟黄志甫题跋可成应证："兄八九岁时，诗礼之暇，旁及篆刻……"这是黄士陵日后能成

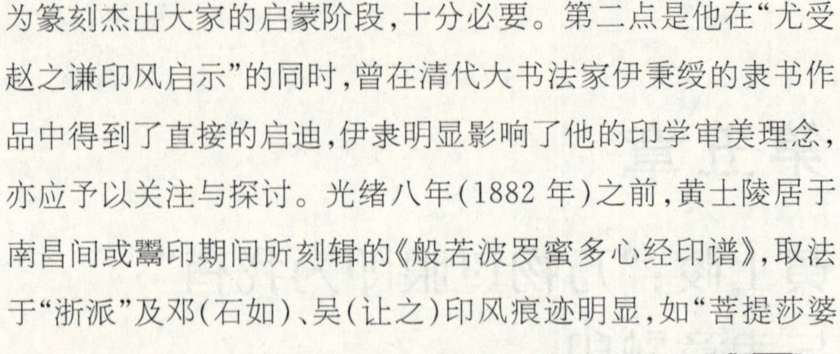

为篆刻杰出大家的启蒙阶段，十分必要。第二点是他在“尤受赵之谦印风启示”的同时，曾在清代大书法家伊秉绶的隶书作品中得到了直接的启迪，伊隶明显影响了他的印学审美理念，亦应予以关注与探讨。光绪八年(1882年)之前，黄士陵居于南昌间或鬻印期间所刻辑的《般若波罗蜜多心经印谱》，取法于“浙派”及邓(石如)、吴(让之)印风痕迹明显，如“菩提莎婆诃”印(图5—1)取法于“浙派”，“无色声香味触法”(图5—2)、“亦复如是”印(图5—3)取法于邓、吴等等。当然，在这五十余方印组成的印谱中，黄士陵在师法明清诸贤的同时，已开始尝试借鉴传统中对自己有用的东西，尽管在今天看来，这种借鉴大多表现在形式上，但在这其中已可窥见黄士陵后来形成自己独特印风的历史渊源。黄士陵于光绪八年(1882年)左右从南昌来到广州，至光绪十一年(1885年)八月得机会去北京国子监学习，这一时期他在广州居住了3年。其间他曾从振心农处借到一本吴让之晚年的印谱，如获至宝，倾心揣摩，融入己印，如他刻于1883年的朱文印“杞山”(图5—4)、刻于光绪十一年(1885年)的白文印“表石经室”(图5—5)等等。他通过深入研究赵之谦印风的审美理念，逐渐达到对汉印“光洁”之美的新认识，这在他的印款自叙中可窥得一些确切的信息。如他所刻“寄庵”印款(图5—6)曰：“仿古印以光洁胜者，唯赵扮叔为能，余未得其万一。”“欧阳耘印”印款(图5—7)曰：“赵益甫仿汉，无一印不完整，无一画不光洁，如玉人治玉，绝无断续处，而古气穆然，何其神也。”“臣锡瓒”印款

图5—1

图5—2

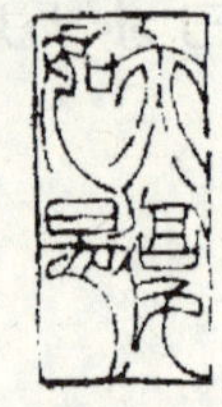

图5—3

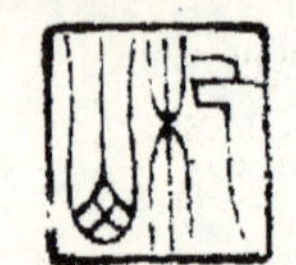

图5—4

图5—5

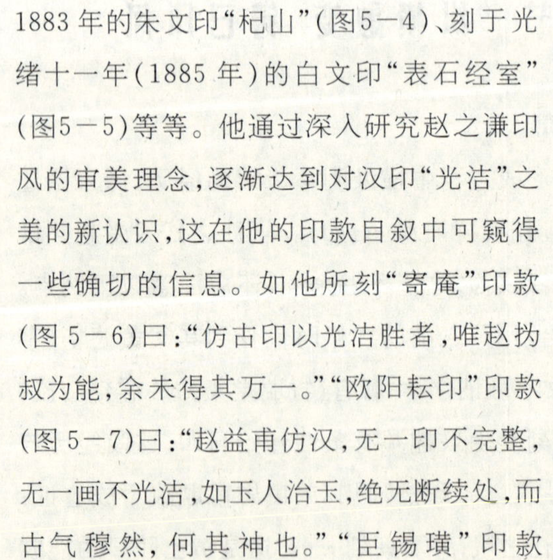

图5—7

图5—6

(图 5—8)曰:“印人以汉为宗者,惟赵抝叔为最光洁,甚少能及之者,吾取以为法。”从这些对赵的评价中,可以看出黄对赵印风审美理念的心合与赏叹,同时也透露出黄自身对汉印光洁美的本质的认同和孜孜以求的信念。同时他还另辟蹊径,从书法中汲取养分。如他以敏锐的眼光洞察到乾嘉时期的著名书法大家伊秉绶隶书中所蕴涵的“平正光洁”之美。而在这过程中,也可使人们切实感受到黄士陵在继承、借鉴优秀传统方面是如何“师其意”,在出新方面具有何等的智慧与能力。黄士陵横汲明清的一个明显特点也是其长处是他不囿于一家一式或一门一派,而是广泛汲取前人精华为我所用,这方面的信息,读其印款,比比皆是。如“……攘老晚年手作印册……余闭门索隐,心领而神会之,进乎技矣”(丹青不知老将至,图 5—9);“仿巴莲舫朱白文”(志锐印,图 5—10);“运刀宗顽伯”(禺山梁氏,图 5—11);“今忽为抝叔动,偶一效之”(阳湖许镛,图 5—12);“师攘之朱文”(二十射策,三十登坛,图 5—13);“牧甫仿巴曙谷细朱文”(英元曾藏,图 5—14);“意在攘之、抝叔之间”(广雅书院经籍金石书画之印,图 5—15);“小篆中兼有古金石味,惟龙泓老人能之”(颐山,图 5—16);“曼生作,牧甫仿”(与花传神,图 5—17)等等,不一而足。

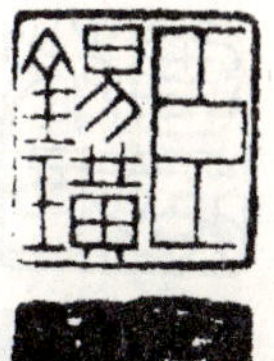
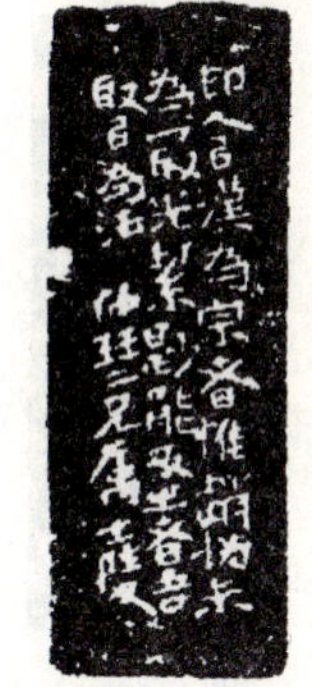

图 5—8

图 5—9

图 5—10

图 5—11

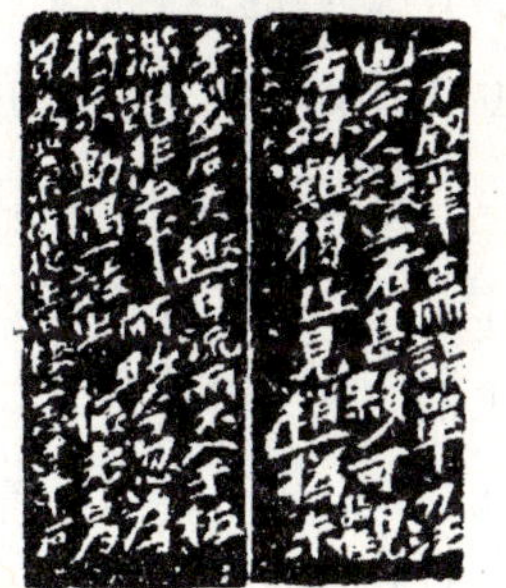

图 5—12

图 5—13

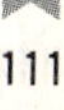

图 5－14

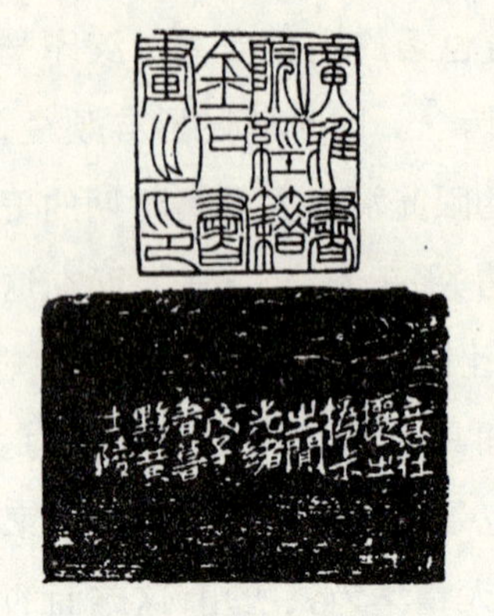

图 5－15

图 5－16

图 5－17

二、纵溯三代秦汉

黄士陵在南昌时期出版了《心经印谱》，其弟黄志甫为之题跋中有言："自鸟迹虫篆，以及商盘周鼎，秦碑，汉碣，无不广为临摹，至今积二十年……"从这其中透露出的信息分析，南昌时期以及此前的黄士陵，确有过尽其能力、欲博学广涉的求索历程，虽因当时方方面面条件所限暂未能如愿，但已立下了纵溯三代秦汉之志。黄士陵对秦汉文字及印章的真正注意，应始于其离开南昌到广州之后。他在广州结识交往了不少文人士大夫，有机会看到丰富的金石文字资料，并尝试以秦汉金石文字入印。如刻于 1883 年的"石邻翰墨"（图 5－18）朱文印是仿古泉刀文所得，处理的挺拔而灵动；同年刻的"蔼人"朱文印取法于汉印，其款曰，"汉有诸葛澄印，因取其字为'蔼'字左右旁"（图 5－19），有汉篆之韵。光绪十一年（1885 年）至光绪十三年（1887 年），黄士陵经举荐入北京国子监学习期间，得缘问学于当时著名学者、古文字学家王懿荣、吴大澂、盛昱等，从而获

图 5－18

图 5－19

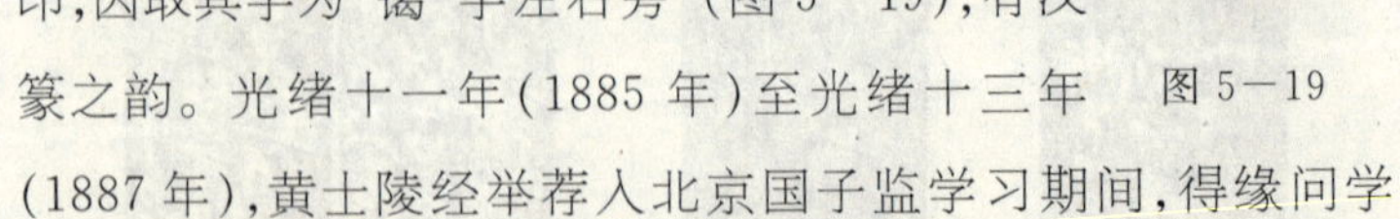

得了一次难得的学习机遇。清末盛行金石考据学，成果灿然。北京国子监学者云集，藏龙卧虎，黄士陵在此期间学问的主要方向是对其篆刻艺术大有裨益的金石学。而日后的实践也证明，黄在国子监所汲取的知识，对其印风纵溯三代秦汉确实助力尤深。受京城大家的耳濡目染，如黄士陵这样的聪颖勤奋之士，必是尽可能广识博学，经常触及三代秦汉文字是极自然的事。例如他参与了重摹宋本《石鼓文》的工作；再一个有力的佐证便是黄士陵初到北京时，对出土不久的汉代《朱博碑》潜心研习并很快汲取营养，融入自家印风之中。观其此时期所刻朱文多字印“光绪十一年国子学录蔡赓年校修大学石壁十三经”(图 5－20)、白文印“我生之初岁在丙辰惟时上巳”(图 5－21)，笔画劲峻，布局自然，刀法挺朗，直率大朴，汉意盎然。一如其在此两印边款中所言，“月前，用七缗购得《朱博残碑》一纸，爱之甚，每举笔辄效之。此印特仿《孟伯狄修路记》，运刀时仍走入《朱博碑》字一路……”；“《朱博残石》出土未远，余至京师先睹为快。隶法瘦劲似汉人镌铜，碑碣中绝无而仅有者，余爱之甚，用七缗购归，置案间耽玩久之，兴酣落笔，为蕴贞仿制此印，蕴贞见之当知余用心之深也”。黄士陵离开北京第二次到广州后，作为他在北京所学所思的延续，他进一步注重纵溯三代秦汉，在留意古玺秦汉印章的同时，倾心于钟鼎、镜铭、权量、泉币、瓦当等金石文字，在印风变法的艺途上继续探索。如他对古玺艺术中那随心自然、生动多变的线条，醇古浑厚、奇逸趣真的篆法及天人合一、大朴无华的审美情趣的成功借鉴，成就了他类似于“绍宪之章”(图 5－22)等白文印，“婺原俞旦收集金石书画”(图 5－23)等朱文印。在“婺”印边款中，他历数了此印

图 5－20

图 5－21

图 5－22

图 5－23

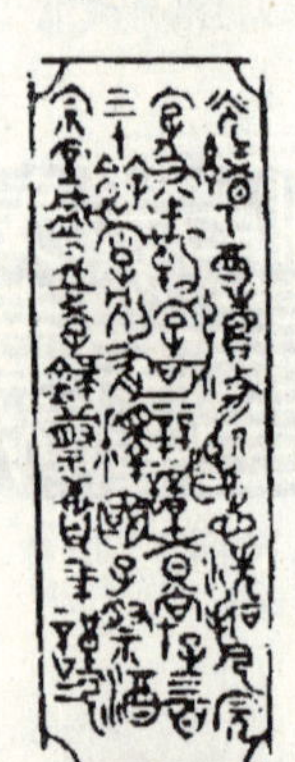

图 5—26

的篆法来源："伯惠属集鼎彝字作藏书印。士陵。'原'字《散盘》，'俞'字《鲁伯俞簠》，'旦'字《颂簋》，'金'字《伯雍父簋》，'书'字《颂壶》，'画'字《吴尊》。"再如他对秦汉印章的钟情，尤其是对篆法丰富且规范、结体厚朴且寓巧、章法端庄且万变的汉印的研究所得，又使他留下了类似白文印"大司马印"（图 5—24）、朱文印"绍宪印信"（图5—25）等等佳作。他对汉印的用功与苦心，在其白文印"汪氏伯子"（图 5—26）边款中多有流露："汪讱庵《古铜印原》载有'别部司马'、'假司马'诸章，雄厚古朴，非可以祈而至者，前后追摹十余印，惟此或能得其仿佛耶。"其他印款诸如"篆本《国山碑》"（禺山梁氏，见图 5—11）；"一日翻汉碑至《石门颂》得'道人'二字，仿以应命"（丸道人作，图 5—27）；

图 5—24

图 5—25

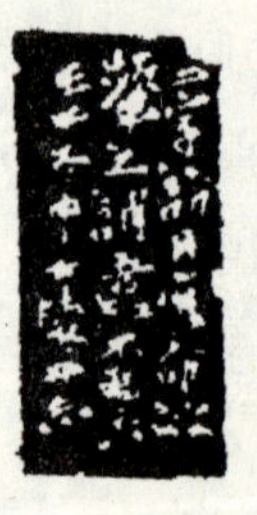

图 5—27

图 5—28

"多字印排列不易，停匀便嫌板滞，疏密则见安闲，亚形为栏，钟鼎多如此"（光绪乙酉续修鉴志洗拓凡完字及半勒可辨者尚存三百三十余字别有释国子祭酒宗室盛昱学录蔡赓年谨记，图 5—28）；"许氏说古文'绍'从'卲'，古陶器文正如此"（绍宪，图 5—29）；"'延年益寿'，汉瓦当文，仿为瑞符仁兄"（延年益寿，图 5—30）；"'寿如金石佳且好兮'，汉长宜子孙镜文也"（寿如金石佳且好兮，图 5—31）；"古货布文，仿为仲迟二兄"（邱，图 5—32）；"参汉砖意"（庆森，图 5—33）；"汉器凿款，劲挺中有一种透润之笔,此未得其万一”(翊文,图 5—34);“仿秦诏版之秀劲者”(伯谬,图 5—35);“仿汉官印,略得蹊径”(屠寄之印,图 5—36)等等,已足见他纵溯三代秦汉的苦心。

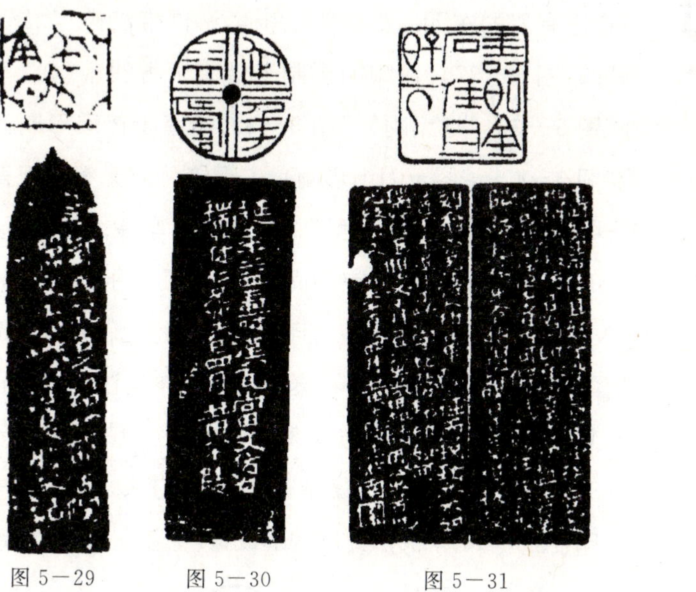

图 5—29　图 5—30　图 5—31

图 5—32

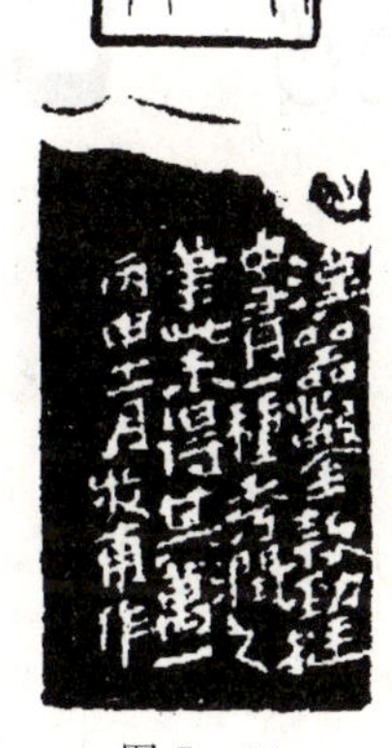

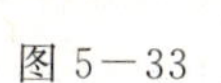

图 5—33　图 5—34　图 5—35　图 5—36

三、融变出新

如前所述，在黄士陵早期作品集《心经印谱》中，可以看到他在师法明清诸贤的同时，已开始尝试借鉴历代印章艺术中对自己有用的东西。如在篆法上尝试借鉴汉碑（如“受想行识”印，图 5－37）；在印的形制上借鉴于古钱币（如“不垢不净”图 5－38、“是大明咒”图 5－39，借鉴于铲币形制；“无无明”图 5－40，借鉴于刀币形制）、古铜镜（如“无智亦无得”，图 5－41）、瓦当（如“究竟涅槃”，图 5－42）等等，并已有用大篆入印的意向。后来在北京期间，黄士陵汲法于《朱博碑》等金石文字，并尝试将三代秦汉玺印与自己已经比较熟悉的浙皖印风糅合。在这其中他就曾将秦印汉金文与吴让之篆刻相互融合，其用意当然是藉此多方探索印艺新境。如其于光绪十二年（1886 年）为“小山太史”（缪荃孙）刻的两方朱文印，其一为“荃孙”印（图 5－43）。关于此印的形成，黄士陵在印款中自言是

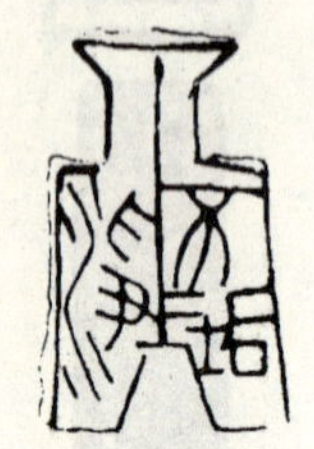

图 5－37

图 5－38

图 5－43

图 5－39

图 5－40

图 5－41

图 5－42

“作界格朱文印”，印文隶韵、汉金文、小篆诸意相融，虽略显生涩却不乏胆识。其二为“荃孙所得金石”印（图 5－44），篆法显然取自吴让之，再糅之以汉金文；布局偏重于师法吴意，观之让人似曾相识却又不禁暗自称妙。类似这些印作，充分体现出黄士陵善学善变的治学精神。光绪十三年（1887 年），黄士陵由北京至广州初期的作品，已明显展露出其欲熔铸古今、变革印风的印迹。他此时期的印章，“有仿邓石如、师吴让之

图 5－44

的作品，有仿古玺的作品，有采汉隶、金文入印的作品，也出现了仿赵之谦的作品，且多为精心之作”①。其取法途径跨度之广，可谓极尽其能。仅以其师法汉印所得所变为例，已可窥其所下工夫与变法所得之一斑。如他刻于光绪十四年(1888 年)的白文“赵凤昌印”(图 5－45)，是宗汉满白文印的；他刻的朱文“王同愈印”(图 5－46，注：此印款虽未注明奏刀年份，但黄士陵同时为其所刻“胜之长年”图 5－47，朱文印款有“戊子春三月，穆父作”，当为光绪十四年)，印文虽为他人所篆汉金文，但一经黄士陵手刻后，已十分近似他此时期的印风审美：篆法得汉金文之坚挺，章法源自汉白文印，应当说上述二印宗汉痕迹是显见的，虽参有己意，但还是汉印之意多于黄之己意。有意味的是，在创作上述二印的同一年，黄士陵为袁锡臣刻了两方印，也是一白一朱，意趣就大不一样了。应当说与前二印相反，黄之己意明显多于汉印之意。先看白文“思哔私印”(图 5－48)，用刀生辣，篆法浑厚，方劲多于圆润；特别是布局，四字成“二二”排列，且右二字与左二字中间留红颇多，已初具黄自家白文印风特征。此印款曰：“仿汉令、长诸章而绝少浑朴处。”看来，此印之浑朴，黄士陵自己是较满意的。再看朱文印“袁氏锡臣”(图 5－49)，审美效果与“思”印近同，黄自家朱文风貌亦浓。同一年

图 5－45

图 5－47

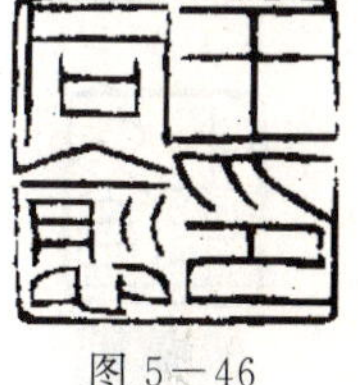

图 5－46

图 5－48

图 5－49

① 辛尘：《历代篆刻风格赏评》，第 185～186 页，杭州：中国美术学院出版社，1999。

图 5－50

图 5－51

刻的印章，诸如“赵凤昌印”、“王同愈印”等等，其印风表现出的是汉印之意多于黄之己意；而诸如“思哗私印”、“袁氏锡臣”等等，则是黄之己意明显多于汉印之意。这一年中（按：指光绪十四年），黄氏印风变化的缘由，笔者以为，在他刻于同一年的白文印“季度长年”印款（图 5－50）中已表达得十分明了：“汉印剥蚀，年深使然，西子之颦，即其病也，奈何捧心而效之。”而促使他产生这种顿悟认识的直接因素是他在这一时期参与为吴大澂审编《十六金符斋印存》。该印存有几种版本，黄士陵参与的是其中二十六册版本的审编工作，收有古玺、官私印等共计一千一百四十六方。吴大澂为此印存题诗中有“古玺得至宝，文字秦燔先。汉魏官私印，金玉背金坚”句，可见印存中古玺秦汉印章是很丰富的。黄士陵在工作过程中得缘接触到不少未经剥蚀、铸口如新、光洁峻挺的古玺秦汉印，这些活生生的实物使他对汉印本来面目的认识有了一个质的飞跃，并与赵之谦仿汉的审美观深深吻合，开始逐渐完成他对汉印审美本质从实践到理论的认识历程。这一年，应是黄氏印风审美理念形成过程中由渐变的积累到顿悟的产生的转折年，刻于这一年的“椒堂”印便是这一顿悟的产物。具有思想性的艺术才是真正的艺术，自此，黄士陵印风日渐表现出光洁峻挺之韵，直至晚年更入化境。黄士陵熔铸古今、变革印风的探索，在印款中亦时有透露，“法本汉铸，参以攘之意以足成之”（姚礼泰印，图 5－51）；“仿汉铸印运刀如丁、黄”（绍宪长年，图 5－52）；“文拟《戚伯著碑》，运刀仿镜文”（文通之苗，图 5－53），

图 5－53

图 5－52

图 5－54

等等，特别是他在“雪雅堂印”印款中所言的“法而不囿”（图5－54），一语道出了黄氏欲纵横融变，铸己印风的心声。

黄士陵坚持走自己的艺术道路，这又使他在客观上远离了晚清印坛较为普遍的浑厚之风，并开辟出一条与时风迥然不同却是异曲同工的、实实在在属于表现他自己审美理念的光洁峻挺的印风之路。在篆法上，黄士陵的一大特点是在广涉博取三代秦汉等金石文字的基础上，将其融会贯通，化为己有后大胆运用于自己的治印实践中。如他所刻“俞旦”印款（图5－55）曰：“古玺有‘俞甘’二字一钮，移‘甘’字两出笔横联于下，适与伯惠少尉姓名相合。”再如前述黄士陵所刻“婺原俞旦收集金石书画”印（图5－23），印款中叙述其篆法广取于《散盘》、《鲁伯俞簠》、《颂簋》、《伯雍父簋》、《颂壶》、《吴尊》，等等。黄士陵篆法的另一大特点也是其十分难得之处是他不仅能将金石文字化为已有大胆运用，而且能“化”得十分得体、和谐，这就使得他的篆法表现出造型奇异且浑然一体的特点。在刀法上，黄士陵于光绪十一年（1885年）同时刻了两方“吉士”印（图5－56），朱、白文各一枚，用刀是受“吴让之仿汉”印刀法的启示，白文印丰满，朱文印细韧，两印刀法总体表现为既劲涩又意畅，已显露出黄氏日后独特刀法的端倪。为服务于自己“光洁峻挺”的审美理想，黄士陵在刀法方面进行着不懈的探索。如他所刻“椒堂”印款（图5－57）曰：“用冲刀法仿古铜印。”其用意可能是既想得到线条的流畅光洁又可得到古铜印的浑厚之气。又如他临汉“骑督之印”款（图5－58）曰：“其光洁可及而浑古不及也。”这有可能是黄氏在探索用刀过程中往往得到光洁之美却又失去汉印浑厚古意的苦恼之叹。关于黄士陵用刀，

图5－55

图5－56

图5－57

图5－58

其弟子李茗柯曾说，“牧甫刻印所用的冲刀法，完全遵照传统，执刀极竖，无异笔正，每作一画，都轻行取势，每一线条的起讫，一气呵成，干脆利落，绝不作断断续续的刻划，和三番四复的改易”①。此语是可信的。其理由有二，一是此语出自黄弟子之口，弟子往往长期随师左右且出口谨慎；二是唯有刀竖锋正，“轻行取势”，“一气”长冲而成，处理手法“干脆利落”，方可得线条光洁峻挺之美。那么，对于浑厚之美的获得，笔者以为黄士陵对赵之谦进行过长期的苦心研究，他应已窥知赵氏“浑厚全恃腕力”的真谛。黄氏用腕力指挥控制其刀，心通腕，腕通指，指通刀，黄氏刻刀，刀刃较薄，他下刀极竖，行刀爽利，涩疾在手，留畅随心，令人仿佛已闻其嘎嘎独造、心手双畅的刻石之声。在不经意的经意中，他刀下的线条或由窄趋宽，或由宽而窄，线头或方截，或锐利，再加之线条角度的细微变化，结构空间的松紧配置，不加以修饰，不主张残破，刀过印现，归于洁挺。在章法上，黄印“疏密处理，匠心独运，能在极险中得平衡，而在平实中追取超逸”②。方整中带险峭，敧侧处寓端稳，可以说是黄士陵处理其篆刻章法的重要审美理念。在他的代表作品中，面对巧与拙、正与险等矛盾，他都有十分高妙的处理手法。如在调和方与圆这对矛盾时，他常在整体呈方意的印面中用几处圆意笔画，顿可化板为灵；而在有些整体呈圆意的印面中参一二处方意笔画，顷可端巧合一。黄印章法的主要特征可用“貌端内巧、整体大气”概括之。黄氏印款除内容十分丰富外，在艺术上亦有特色。他早年曾学过明人双刀行书刻款法，在印款领地他也进行过多方面的尝试，如用过金文、篆书、隶书、楷书等等。他的大多数印款，都是单刀意拟六朝碑刻的楷书，沉厚凌厉，爽朗遒劲。“首先他用刀是以凿为

① 马国权：《黄牧甫和他的篆刻艺术——〈黄牧甫印谱〉代序》，载《黄牧甫印谱》，杭州：西泠印社出版社，1982。

② 方去疾：《明清篆刻流派印谱》，第218页，上海书画出版社，1980。

主，辅以切拉。多以单刀拟六朝碑刻楷书，刀锋凌厉，粗细略等，结体开展，但在波磔点画处亦略具轻重，故又显得有笔有墨，平稳沉雄。有似两汉吉金凿字，见笔见刀，沉雄中蕴藏着古朴，秀劲中可见刀趣，故古而具新意，风格独具，为后世边款字开了一条新路”①。其印款与印面相互辉映，别具特色。

海纳百川、纵横融变、铸己印风的理念可以说贯穿了黄士陵的一生。有容乃大，这就注定了黄氏印风总体审美效果表现为古今合一之大美。说其古，是因他从三代秦汉至明清诸家广涉博取，反复熔铸，他所表现的古，不拘泥于表面形式的拟古，而是直追古印光洁峻挺之韵，印面力臻完整、精到，努力还古以本来面目。说其今，是因其所特有的篆法、刀法、章法等组合成的篆刻艺术给人以耳目一新之感，“他的印的刻法，风格完全是新的，而又没有背叛传统，黄士陵的慧眼就在于此”②。其呈现出的装饰性之美亦极具现代感，其审美价值大大超越了他所处时代的时空而又合于今人的审美趣味。这与黄士陵兼精绘事有关，“其用西法画彝器图形，尤为艺林珍赏。父已商也周身刻嗤尤饕餮鱼鸟蛟螭之属，凡三十余事，文镂之精，历来著录家所未有。黄氏为之图，竟毫发无憾，且尺寸亦不爽累黍，学人叹为绝技也”③。黄印的装饰美可分为抽象装饰美与具象装饰美。抽象装饰美如前所述，是指黄士陵通过自己印章的线条、结字、章法和谐一致后所散发出来的整体性的抽象装饰美的气息。而黄印的具象装饰美则体现在他在纵溯三代秦汉过程中尝试直接以金文入印，如他所刻“器父”(图5－59)、“伯銮”(图5－60)等等。金文是铸凿在青铜器上的铭文，属古文字体系，因象形意味浓郁导致装饰意味同步浓

图 5－59

图 5－60

① 刘江：《中国印章艺术史》，第392页，杭州：西泠印社出版社，2005。
② 钱君匋：《清・黄士陵篆刻》，《书法》，1990(4)。
③ 孙洵：《民国篆刻艺术》，第5页，南京：江苏美术出版社，1996。

郁。黄士陵将金文直接入印,也就将古文字的象形功能即装饰性直接带入了印章,这便有了黄印的直接装饰美的呈现。如此既有传统精华又具现代气息,且又能将古今浑然一体的篆刻艺术,谓之为古今合一之大美,名副其实。

第二节 隶意融印

前面提及黄士陵曾经在清代大书法家伊秉绶隶书作品中得到了直接的启迪,并明显影响到他的印学审美理念和印风的形成,有关这方面历来论涉不多。不仅如此,明清艺坛还出现了隶书大家与篆刻大家"双栖"的独特现象。为探源述详,特辟专节略述之。

一、隶书的外在形变与意识存在

隶意一直是一种精神,贯穿于隶书发展历程。隶变滥觞于先秦,成熟繁荣于汉代,与汉印同步地呈现出成熟繁荣的景象。魏晋南北朝隋唐宋元明时期是以隶变为契机,隶体为母体的各种书体逐渐走向自我完善与独立成熟的时代,这是隶变精神使隶书意识呈自然状态的惯性承传。清代尚碑,隶书复兴。此时的隶变,显示出隶意弱化诸体主体地位的潜入性,但并未能改变隶书与诸体的主客地位,体现的是一种不拘成法的变革精神,明清篆刻则成为印史上第二次高峰期。

"就中国的文字和书法的发展看,隶书是一大变化阶段。甚至说今日乃至将来一段时期全是隶书的时代也不为过,草书和楷书是千余年来流行的书法。它们在形体上,由隶书衍进……尤其在技法上,更是隶法的各种变化……自从有了它,中国的书法才形成了由它而下的一条书法大河流的"①。

沿着这条"书法大河流",笔者排列出隶变进程的轨迹线:

① 潘伯鹰:《中国书法简论》,第77～78页,上海人民美术出版社,1981。

先秦及秦代(孕变)—汉代(成熟繁荣)—魏晋南北朝隋唐宋元明(孕变)—清代(复兴)……

就隶书的形体与意识变迁而言，也可以用这样的显示线：先秦及秦代(隶书意识潜)—汉代(隶书形体显)—魏晋南北朝隋唐宋元明(隶书意识潜)—清代(隶书形体显)……

汉代与明清是隶书形体与隶书意识的成熟繁荣复兴期，亦是篆刻艺术史上的两大高峰期，这种隶书(隶意)与篆刻艺术互为潜在的影响，从审美层面上剖析，古书论有云："隶书者，篆之捷也。"①"适之中庸，莫尚于隶。规矩有则，用之简易"②。这"篆之捷"、"有则"、"简易"等等，可以认为是隶书形体的审美特征；而以隶意作楷，楷则更显古朴；以隶意作行，行则更加厚重；以隶意作草，草则更加沉郁；以隶意入印，印则更加端庄……显然，这"古朴"、"厚重"、"沉郁"、"端庄"等等，可以认为是隶意的审美特征。以隶书(隶意)与汉印的关联为例，简言之，汉印文字其实已是"经过隶化的篆书"，即以隶书的方正之形来规范小篆的长方形，使之"形"更适以方正之印面；以古朴、厚重、沉郁、端庄之隶意来滋养其韵，使之"意"更具神采，如此等等，这表明隶意与篆刻艺术存在着紧密的血脉关联。

二、隶意与篆刻

就中国文字(书法)发展史而言，从陶文、甲骨文、钟鼎文，到战国时期的古隶、秦小篆，再演变到汉代隶书，这便是千年进程的隶书的外在形变，这亦是汉字书体从"古"变"今"的变革。隶变在先秦—秦—两汉是一个历史性的转折点，其最为重要的标志是对篆书摹拟象形范型的逐渐否定，从而获得不受任何物象构架束缚的意识和形式构成的言语，这一转变的意义不仅是文字学家所云的中国文字从此进入了符号化领

---

① 卫恒：《四体书势》，载《历代书法论文选》，第15页，上海书画出版社，1979。

② 成公绥：《隶书体》，载《历代书法论文选》，第9页，上海书画出版社，1979。

图 5－61

图 5－62

图 5－63

图 5－64

图 5－65

域，更在于其改变了汉字书写方式的运动节奏和审美趋向。东汉是隶书的成熟期，充满理性精神的隶书呈现出一派风格多彩、欣欣向荣的景象。就此时的书风而言，或宽博、或谨严、或放逸、或整方、或秀劲、或厚雄、或高古、或清新，真谓千姿百态，蔚为大观。具体到这其中的著名碑刻如建和二年（公元148年）的《石门颂》（图 5－61），纵横劲拔，高浑奔放；永寿二年（公元 156 年）的《礼器碑》（图 5－62），劲凝如铁，精妙超迈；延熹八年（公元 165 年）的《鲜于璜碑》（图 5－63），爽利斩截，气真韵奇；中平二年（公元 185 年）的《曹全碑》（图 5－64），遒劲高洁，端庄典雅；中平三年（公元 186 年）的《张迁碑》（图 5－65），大巧若拙，沉着苍古。从技法上讲，隶变使隶书出现了最显著的特征“波画”（即蚕头雁尾），并由此开启了“八法”。如它使书法用笔在垂直方向上有了轻重的需求，这就产生了提按笔法，在笔意上也相应出现了由原来篆书的中含意向转化为外拓开放意向，产生了轻重、顿挫、中侧等丰富用笔之法。而《石门颂》等碑刻结字的放纵舒长与奇特章法，又对书法审美产生了积极的影响。经过隶变，隶意与书法篆刻艺术的关联拟如下：

隶变→隶意＋秦小篆→ | →书化（今隶）→（隶书）书法艺术
| →印化（缪篆）→（印章）篆刻艺术

东汉是隶书（隶意）、缪篆、汉印三位一体的全盛期。隶与篆相较，在笔画上化转为折，化圆笔为方笔，体现出的是“笔画方”；在形体上，长形变为方形或近方形，方意为多，体现出的是“形方”。“笔画方”加上“形方”，意识中便有了“意方”概念。因而，隶较之篆，从形体到意识，方意大于圆意。基于此，隶书（隶意）与缪篆及汉印的关联拟如下：

秦小篆→ | →顺隶形（由长而方，由繁而简等等） | →缪篆（入汉印）
| →合隶意（方意多于圆意，古朴雅正等等） |

受隶变(隶意)的影响,成熟的缪篆体成为最适应方形印面的印章字体。此时,印面与印字所形成的关系拟是主客关系,印面是主方,印字是客方,客方要服从主方的需要,即印字要适合印面的形式,它们之间的关联,类似前节所论青铜器造型与铭文及铭文与古玺的关系。隶意的特征归纳述之宜为“古朴雅正”,汉印受其影响,呈现出的是与隶意同脉的审美特征“端方工稳”。具体表现为印字方正,章法端庄,印风工稳。汉印外形大多是正方的,缪篆外形大多也是方形的,其变化主要在笔画上。汉代工匠在布局时,为了印面的完整美观,笔画多的就简化,笔画少的就增以回曲之笔,这也成为缪篆的主要特点。以东汉官印“渭成令印”(图 5－66)与东汉私印“张衡”(图 5－67)为例。“渭成令印”四字皆方,印字笔画起讫处亦以方意为主,但方整中时有流动之处,如“渭”字“水”、“月”的曲线处理,“成”右下部弧线处理等。在布局时,“令”上部三角化处理,使其左右两边留红,“成”右上部亦留大片红,两处留红皆是印面“疏”的需要。上述曲线处理与留红处理的方法,皆得力于缪篆的“回曲”、“简化”之法。“回曲”之法使篆法工稳中见流畅之意,“简化”之法使章法均衡处显疏密之趣。“张衡”印两字均布印面,其变化表现在笔画上,如“张”中下部的回曲处理与“衡”左右的简化处理,也是得力于缪篆的变化之妙。此两印皆具汉印“端方工稳”的主要特征,而这也是大多数汉印的主要审美特征。这一主要审美特征同步地决定了汉印的主导印风为工稳印风,这又与隶意“古朴雅正”的审美意蕴一脉相通。隶变至东汉,隶书的外在形变已臻成熟,以《礼器》、《张迁》、《乙瑛》、《曹全》、《史晨》、《鲜于璜》等诸碑为代表,标志着隶书形体大格已定。而隶意,则依然顽强延伸,并从此融入书法诸体和篆刻艺术的变迁与发展的历史进程中。

图 5－66

图 5－67

明清是继汉以后篆刻艺术史上的第二次高峰期。自元吾丘衍、赵孟頫等提出了复古主义的印学主张后,明清篆刻家将师法汉印作为篆刻艺术的正宗路径，“印宗汉”这一主张颇具代表性的持论可推清人吴先声之论：“印之宗汉也，如诗之宗唐，字之宗晋。学汉印者须得其精意所在，取其神，不必肖其貌。”[①]清人尚碑，隶书艺术亦随之形成了自汉以来的第二次高峰。清代隶变是对汉隶的复兴，隶书风格再次呈现出千姿百态、蔚为大观的景象，与印坛“印宗汉”宗旨合拍，并显示了隶意与书艺诸体及篆刻艺术相互合目的和合性格潜入的倾向。郑簠是汉碑复兴的先驱者之一，亦可说是清代隶变第一人，他的意义在于不拘成法，将行草笔意渗入隶书。郑氏亦是篆刻家。金农以汉隶为本，以《禅国山碑》、《天发神谶碑》等碑中奇古字法为体，入出传统，合离古人，特别是他以方笔浓墨所作的“漆书”，体现出一种对传统隶书近乎挑战性的变革精神。金农也是篆刻家。与金农同时的郑燮，其愤世嫉俗的情绪和傲岸不驯的性格在艺术上的反映，是他以书法直接“达其性情，形其哀乐”，他的隶变，是篆楷行草加画法直糅于隶，正如他自咏的那样：“要知画法通书法，兰竹如同草隶然。”[②]清代最具代表性的隶书大家是邓石如与伊秉绶。邓石如出身布衣，表现在艺术选择上更少束缚，因而更具有开放性。他笃志周秦刻铭、汉代及六朝碑版。他的过人之处在于他并未在兴盛碑学的时风中远离帖学，他以汉碑的质朴、浑厚、古拙为本，再融入帖学的遒丽、奔放与恣意，以篆隶相融进行隶变，其隶貌丰骨劲，动人心魄，形成了一种质朴而清新、厚重而婀娜的书风(图 5—68)。而邓石如及他所开创的“邓(皖)派”印风的主导格调便是“刚健婀娜”。伊秉绶直摄秦汉碑学之神理，用一种高古博大、端庄归真的风格，有力地抨击着流美飘浮的帖学时弊，伊秉绶的隶变，走的是一条篆书—汉隶—颜楷相融的路子：中画

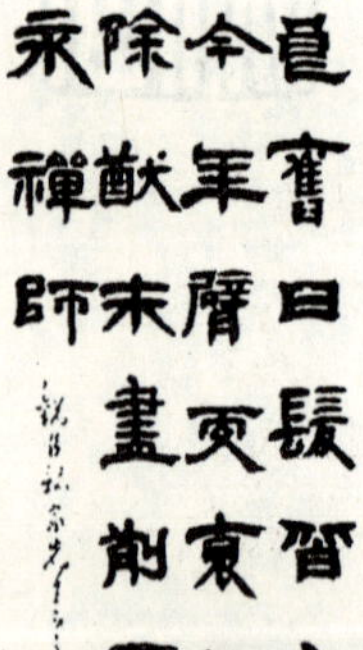

图 5—68

① 吴先声：《敦好堂论印》，载韩天衡编订《历代印学论文选》，第 178 页，杭州：西泠印社出版社，1999。

② 郑燮：《题画兰竹》，载洪丕谟选注《历代题画诗选注》，第 135 页，上海书画出版社，1984。

沉实，装饰趣浓是篆书风范；笔意平直，方正整肃是汉隶气韵；笔画横细竖粗，结体端庄雄伟是颜楷精神，特别是他对隶书特征"蚕头雁尾"舍形取意的处理，形成了伊隶有别于他人的特色之一。伊氏也是一位篆刻家。

有关隶书(隶意)与篆刻艺术的关联，自元以来，从印论到篆刻实践，已有颇多涉及：

在印论方面，元吾丘衍曰："汉有摹印篆，其法只是方正，篆法与隶相通。"[①]明何震曰："摹印之书，篆楷相融，损益挪让，正直平方，古雅朴厚。"[②]此处"楷"当指"隶"。清孙光祖曰："秦书八体，五曰篆印，秦以小篆同文，则官私印章，宜用玉箸，而别作摹印篆者，何也？盖玉箸圆而印章方，以圆字入方印，加以诸字团集，则其地必有疏密不匀者。邈隶形体方，与印为称，故以玉箸之文，合隶书之体，曲者以直，斜者以正，圆者以方，参差者以匀整。其文则篆而非隶，其体则隶而非篆，其点画则篆隶相融，浑穆端凝，一朝之创制也。"[③]黄宾虹曰："溯原缪篆，秦、汉而止，隶变相沿，愈漓古意。"[④]

图 5－69

图 5－70

在篆刻实践方面，黄易在创作"得自在禅"印时认为："汉印有隶意，故气韵生动，小松仿其法。"(图 5－69)奚冈在创作"金石癖"印时认为："作汉印宜笔往而圆，神存而方，当以《李翕》(即《西狭颂》)、《张迁》等碑参之。"(图 5－70)

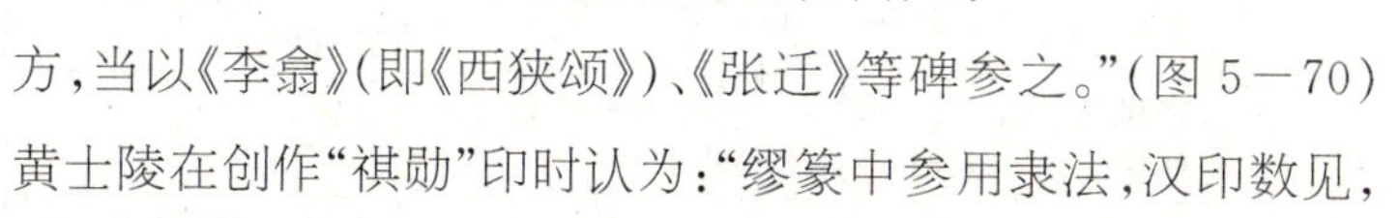

黄士陵在创作"祺勋"印时认为："缪篆中参用隶法，汉印数见，

① 吾丘衍：《学古编》，载韩天衡编订《历代印学论文选》，第 14 页，杭州：西泠印社出版社，1999。

② 何震：《续学古编》，载韩天衡编订《历代印学论文选》，第 56 页，杭州：西泠印社出版社，1999。

③ 孙光祖：《六书缘起》，载韩天衡编订《历代印学论文选》，第 277 页，杭州：西泠印社出版社，1999。

④ 黄宾虹：《〈滨虹草堂印存〉序记》，载韩天衡编订《历代印学论文选》，第 690 页，杭州：西泠印社出版社，1999。

图 5－71

今从之。"(图 5－71)赏析他们的印作，皆隶意盎然，其中黄易、奚冈还以隶书作款……

在篆刻工具书方面，清桂馥编《缪篆分韵》，袁枚在《序》中曰："秦厘八体，五曰摹印；汉定六书，五日缪篆。缪篆即摹印所用也。古文二篆，繁简不同，而结构皆圆。以篆刻印，宜循印体，则变圆而方。"清袁日省、谢景卿与近人孟昭鸿编与续编了《汉印分韵合编》，谢景卿在《序》中曰："缪篆固别为一体，屈曲填密，取纠缪之义，与隶相通……"

明清时期，特别是清代，众多擅隶者同为篆刻家或是印坛名家大家的，大有人在，兹列表举例如下：

明清同为隶书书法家与篆刻家简表

姓名	字号	时期	隶书代表作	篆刻艺术方面的成就
文　彭	字寿承，号三桥	明(1498～1573)	《七言诗册》	明清文人流派篆刻开山鼻祖。开创"三桥派"。
王时敏	字逊之，号烟客	明末清初(1592～1680)	《五言对联》等	篆刻家。
傅　山	字青主，别号石道人等	明末清初(1605～1690，一作1607～1684)	《五言诗轴》	篆刻家。
郑　簠	字汝器，号谷口	清初(1622～1693)	《洞玄经语轴》等	篆刻家。
高凤翰	字西园，号南村	清(1683～1749)	《十言联》	篆刻家。辑有《西园印谱》、《吕亭十二客印记》。
汪士慎	字近人，号巢林等	清(1686～1759)	《咏茶诗轴》等	篆刻家。
金　农	字寿门，号冬心	清(1687～1764)	《题画语轴》等	篆刻家。汪启淑编辑《飞鸿堂印谱》，请他与丁敬任鉴定。
高　翔	字凤岗，号樨堂	清(1688～1753)	《陶渊明饮酒诗轴》	篆刻家。
桂　馥	字冬卉，号未谷等	清(1736～1805)	《文心雕龙语轴》等	文字学家、篆刻家。著撰有《缪篆分韵》、《续三十五举》、《再续三十五举》、《说文义证》等；辑有《古印集成》。
邓石如	字石如，号完白等	清(1743～1805)		开创"邓(皖)派"。后人辑有《完白山人篆刻偶存》等多种印谱传世。

续表

姓名	字号	时期	隶书代表作	篆刻艺术方面的成就
黄　易	字大易，号小松等	清（1744～1802）	《隶书七言联》等	"西泠八家"之一。
奚　冈	字纯章，号铁生等	清（1746～1803）	《杜甫秋兴诗轴》	"西泠八家"之一。
伊秉绶	字组似，号墨卿	清（1754～1815）	《魏书传语轴》等	篆刻家。
钱　泳	字立群，号仙台等	清（1759～1844）	《后汉书儒林传轴》等	篆刻家。辑有《履园印选》。
阮　元	字伯元，号芸台	清（1764～1849）	《七言联》等	印章收藏家。辑自藏印成《续锦囊印林》、《积古斋藏印谱》。
张廷济	字顺安，号叔未等	清（1768～1848）	《赠琴斋先生联》等	篆刻家、印章收藏家。辑有《清仪阁古印偶成》、《古印缀成》、《清仪阁藏名人遗印》等。
陈鸿寿	字子恭，号曼生等	清（1768～1822）	《隶书八言联》等	"西泠八家"之一。刻辑有《种榆仙馆印谱》、《种榆仙馆摹印》。
姚元之	字伯昂，号荐青等	清（1773～1852）	《端午词六首轴》等	篆刻家。
伊念曾	字少沂，号梅石	清（1790～1861）	《隶书七言联》	篆刻家。伊秉绶子。
何绍基	字子贞，晚号蝯叟	清（1799～1873）	《庄子逍遥游篇四条屏》等	篆刻家。刻辑有《颐素斋印谱》。著有《说文段注驳正》等。
吴让之	字攘之，号让翁等	清（1799～1870）	《赠鹤侪大公祖大人联》等	篆刻名家。著有《吴让之自评印稿》，并有《吴让之印存》等多种。
胡　震	字伯恐，号鼻山等	清（1817～1862）	《致韵人先生七言联》等	篆刻家。后人辑有《钱叔盖胡鼻山两家刻印》等。
钱　松	字叔盖等，号铁庐等	清（1818～1860）	《隶书五言联》等	"西泠八家"之一。后人辑有《钱叔盖印谱》等多种。
杨　岘	字见山，号季仇等	清（1819～1896）	《太室铭四条屏》等	篆刻家。
胡　澍	字亥甫，号石生等	清（1825～1872）	《赠秋谷九兄同年七言联》	篆刻家。著有《说文解字部目》等。
赵之谦	字扮叔，号悲庵等	清（1829～1884）	《赠啸仙司马尊兄屏》之三、四	开创"赵派"。后人辑有《二金蝶堂印谱》等多种。
吴昌硕	字仓石等，号老缶等	近代（1844～1927）	《赠南湖先生联》等	开创"吴派"。西泠印社首任社长。辑有《苍石斋篆印》等多种。

在表格中举例列出的这些堪称隶书艺术与篆刻艺术"双栖"式人物中,他们的隶书风格与篆刻风格大多相融相合。他们中更有的直接以隶书(隶意)入印与款,如傅山"韩岩私印"款(图5－72);桂馥"未谷"印款(图5－73);黄易"陈氏晤言室珍藏书画"印与款(图5－74);奚冈"龙尾山房"印款(图5－75);赵之谦"西京十四博士今文家"印与款(图5－76);吴昌硕"缶记"印与款(图5－77)……除上述之外,此时期以隶书(隶意)入印与款的篆刻家还有很多,如王逢元"芙蓉花外夕阳楼"印款(图5－78);汪关"子孙非我有委蜕而已矣"印款;汪泓

图5－72

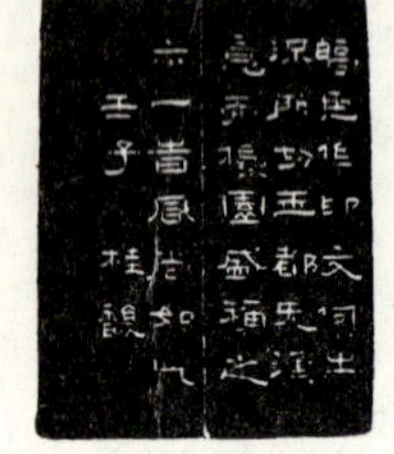
图5－73

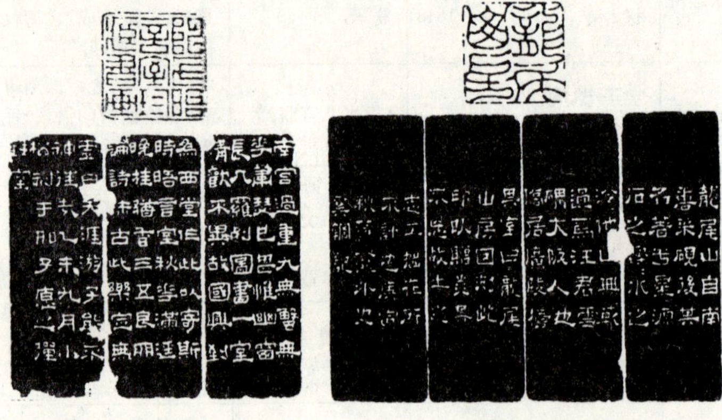
图5－74

图5－75

图5－76

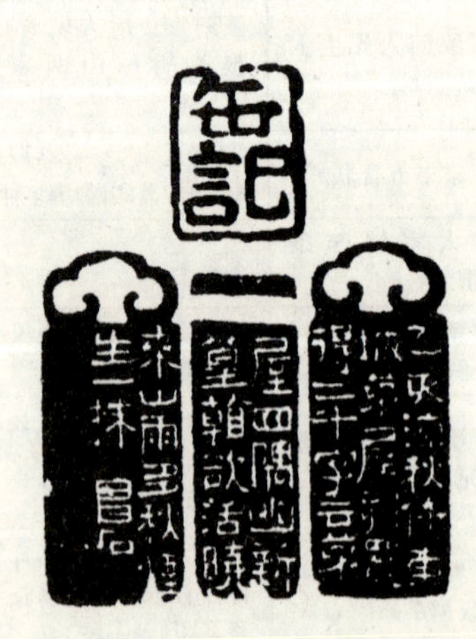
图5－77

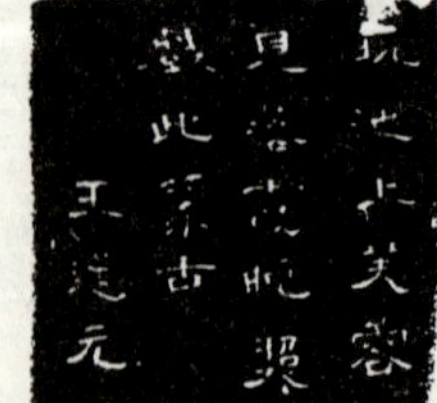
图5－78

“兴仁之印”款；程邃“一身诗酒积千里水云情”印款；许容“小长芦钓鱼师”印款；林皋“案有黄庭尊有酒”印款；吴先声“多情怀酒伴余事作诗人”印款；鞠履厚“宝琇字生山”印款；孔千秋“餐胜”印款；朱文震“静舫”印款；陈渭“谈闲飞白酒半潮红”印款；黄学屺“仲山朱玮石父”印款；陈豫钟“家承赐书”印与款(图5－79)；文鼎“移家白沙翠竹江村”印款；赵之琛“湖村花隐”印与款(图5－80)；邓传密“约轩过眼”印与款(图5－81)；乔林“人事所不通惟酷好学问文章”印与款(图5－82)；吴咨“人在蓬莱第一峰”印与款(图5－83)；汪鋐“菰芦老世家”印款；王云“泛香”印款(图5－84)……

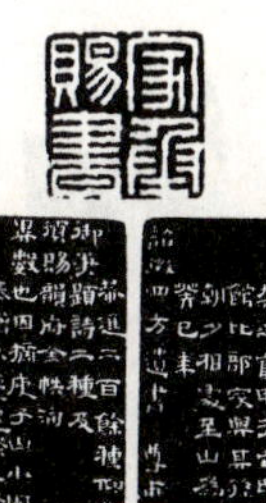
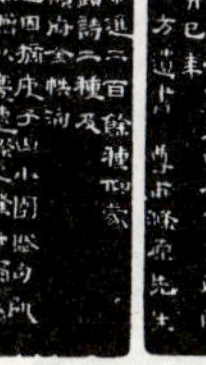
图5－79

图5－80

图5－81

图5－82

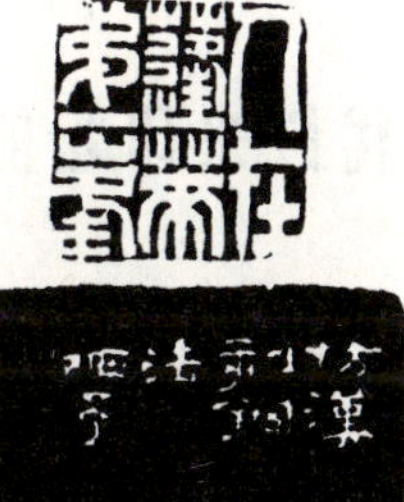
图5－83

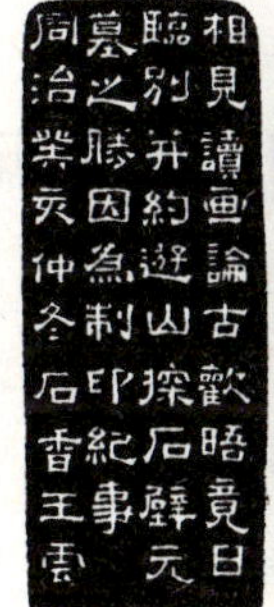
图5－84

三、黄士陵隶意融印的探索

黄士陵的典型意义在于，他致力于探索直接以隶意进行篆刻创作，黄氏印风师从伊秉绶隶意就是一个成功的例子。黄氏在其所刻“叔铭”印款（图5－85）中曰：“伊汀州隶书，光洁无伦，而能不失古趣，所以独高。牧甫师其意。”显然，黄氏“师”的“意”，便是伊隶之“意”。对于伊秉绶隶书（隶意）的平正光洁之美，黄士陵到底用功多少，得何教益，笔者拈出黄氏印风顿悟时期的“椒堂”（刻于1888年，图5－86）等印和印风成熟期的“黄遵宪印”（刻于1896年，图5－87）等印，与伊秉绶书写的隶书名联“文章千古事，风雨十年人”（图5－88）作一对照，便可使人一目了然。不难看出，伊秉绶隶书用笔纯乎中锋，使其书法笔画精到而光洁，虽无斑驳碑痕，却是金石气息盎然；而黄士陵刻印用刀直如伊隶用笔，使用中锋，其印面线条效果亦一如伊隶，平正光洁。伊隶结体摄汉碑神理，横平竖直而变化巧妙，颇具匠心又毫不造作，可谓稳中求变，拙中寓巧，且画意甚浓；而黄士陵印中的篆法结体每于方正中现奇姿，并富有浓郁的装饰美意趣。这样借鉴融合的结果，使黄印与伊隶一样，共同透露出浓厚的金石气息，使得他们的书印具有了强烈的现代意识。这种古风与现代意识的有机融合，便使得伊隶、黄印皆具备了艺术格调高、学术价值高的审美思想。黄氏的成功实践，已表明隶意对印艺的重要启示作用，亦可使人领略出清代隶书与印艺同步兴盛的内在关联。

图5－85

图5－86

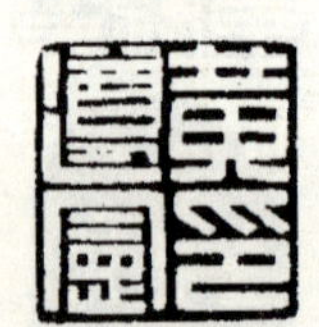

图5－87

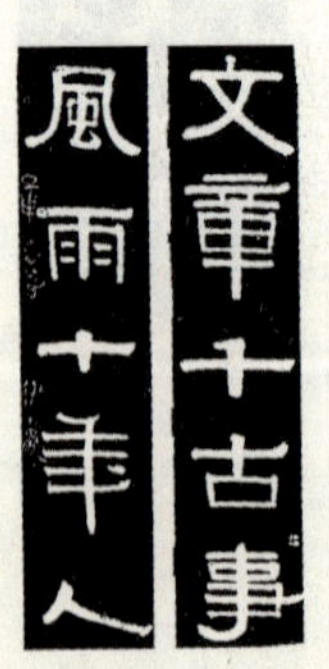

图5－88

第三节　黄士陵印风对近代以来印坛的影响

就黄士陵印风对近代以来印坛的影响而言，从纵向上分析，首推他对“黟山（粤）派”形成的影响；在横向上比较，由于黄氏印风与同时期的吴昌硕印风一工稳，一写意，各树一帜且各臻其妙，给人启示颇多，因而后人多以黄、吴作参照比较进行研究。

一、对"黟山(粤)派"形成的影响

黄士陵第二次到广州，先是应吴大澂之邀，为吴氏辑《十六金符斋印存》等；吴离粤调湘后，黄继为梁鼎芬整理金石文字；旋又应张之洞之邀，参与广雅书院校书堂的编校工作。广雅书院由张之洞于光绪十三年(1887年)创办，分经、史、理学、经济四门。当时邀请黄士陵为其工作的几个人皆非凡之辈，吴大澂时任广东巡抚，后又奉调湖南巡抚；梁鼎芬是当时的著名学者；而张之洞时任两广总督，地位显赫。能受到他们的邀请，再加之黄是国子监学生，这样的身份亦可称为学者与艺术家，说明黄当时确已具备了学术上的实力。编校工作使黄士陵有了大量的时间与精力徜徉于金石典籍中，再以他善交善学的情性和光绪十四年(1888年)在篆刻上的顿悟，其印风日渐独具，其身边追随者日渐增加，应是情理之中的事。黄来粤前，广州印坛以秦汉及浙派为宗居多，如印人伍德彝篆刻私淑浙派而折中古法；与伍有交游的胡曼则专研浙派而犹近黄小松，等等。黄来广州后，其光洁峻挺的印风令人耳目一新，印人纷纷效仿。当时黄士陵任职的广雅书院的院长梁鼎芬在致邓尔雅之父邓莲裳的信中就曾高度评价过黄氏印艺，"今日海内印人，以黄君为巨擘"，已足见当时黄氏印名之隆。随着黄印风影响日渐扩大，许多印人弃原习转而师黄，这当为粤派印风起于印坛之滥觞。入室学习或私淑黄氏印风的主要有：刘庆嵩(1863～1920)、冯康侯(1901～1983)、冯师韩(1875～1950)、易熹、李茗柯、邓尔雅、乔曾劬等等，其中尤以易、李、邓、乔为佼佼者。易熹(1874～1941)，字孺，号大厂，别署颇多，广东鹤山人。他的篆刻能得到黄士陵的亲授，应缘于其早岁肄业于广雅书院。他的可贵之处在于他在宗法黄印的基础上，能广泛吸取古玺汉印封泥之趣，印风古拙奇肆，确谓别具一格。李茗柯(1882～1945)，一名师实，字尹桑，幼随父居广州，与其四兄雪涛、六兄若日同师于黄士陵，其中尤以李茗柯用功最勤，对乃师文字训诂及书画印等

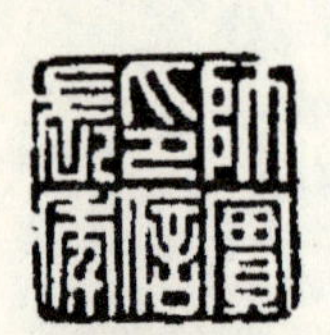

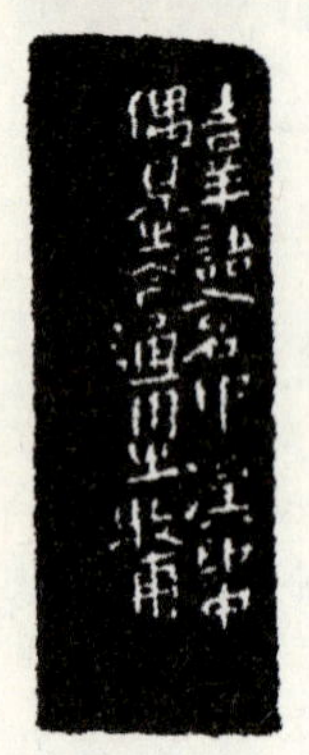

图 5－90

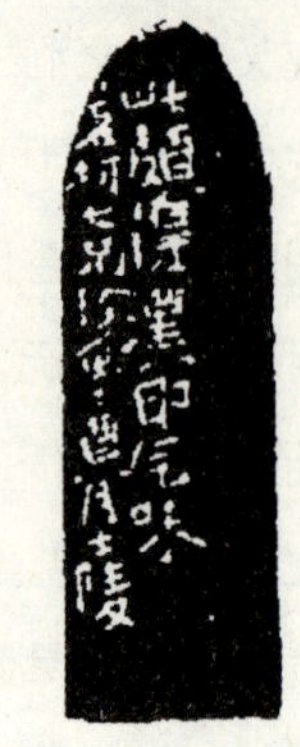

图 5－89

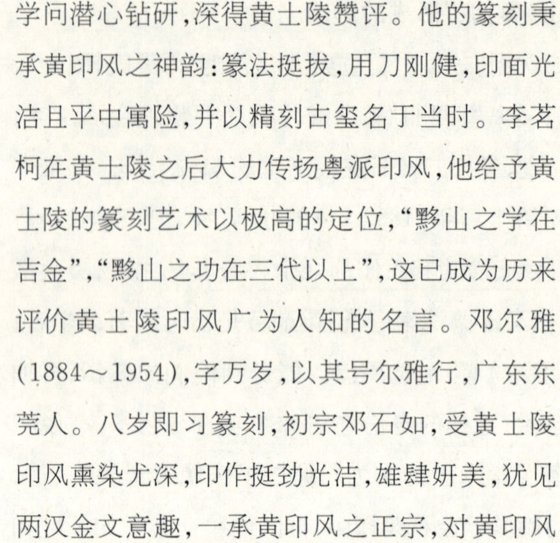

学问潜心钻研，深得黄士陵赞评。他的篆刻秉承黄印风之神韵：篆法挺拔，用刀刚健，印面光洁且平中寓险，并以精刻古玺名于当时。李茗柯在黄士陵之后大力传扬粤派印风，他给予黄士陵的篆刻艺术以极高的定位，“黟山之学在吉金”，“黟山之功在三代以上”，这已成为历来评价黄士陵印风广为人知的名言。邓尔雅(1884～1954)，字万岁，以其号尔雅行，广东东莞人。八岁即习篆刻，初宗邓石如，受黄士陵印风熏染尤深，印作挺劲光洁，雄肆妍美，犹见两汉金文意趣，一承黄印风之正宗，对黄印风在岭南的发展贡献亦大。乔曾劬(1892～1948)，字大壮，四川华阳人。乔氏篆刻首先得于家学渊源，在此基础上力追黄士陵。在篆法上他常以大篆参以己意入印，古拙而隽雅；刀法一丝不苟，工整稳健；章法奇宕安详寓于一印，深得黄士陵印风之神。易、李、邓、乔四家皆在印坛享有盛名。

图 5－91

在黄士陵的印款中，亦有他与弟子们交往的内容记述。在众多弟子中，他为李茗柯刻印最多，如“师实”印款曰：“此颇得汉印气味，茗柯七兄珍之”(图 5－89)；“师实印信长年”印款曰：“吉祥语入名印，汉印中偶见之，今通用之”(图 5－90)；“师实长年”印款曰：“此牧甫数十石中不得一之作也。平易正直，绝无非常可喜之习，愿茗柯珍护之”(图 5－91)，等等。黄氏这些平实语句中蕴涵的谆谆教诲，催人心悟。再如他为刘庆嵩所刻“刘庆嵩印”款曰：“……领其言论，读其述作，然后知其蓄积富，好慕正，陵尝就而考德稽疑，遂订交焉。”(图 5－92)字里

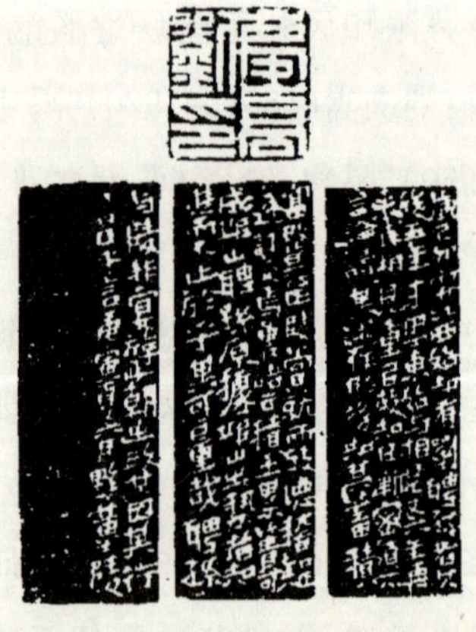

图 5－92

行间，折射出黄氏为人的谦和。从这些印款内容看，黄氏与弟子们之间的关系十分融洽和谐，堪称亦师亦友，亦兄亦弟。还须提及的是，黄氏印风的主要传承者又培育了粤派第三代传人，功绩亦大，不可不提及。经邓尔雅传授的印人有邓之长子邓橘(1901～1933)，外甥容庚(1894～1983)、容肇祖(1897～1995)兄弟，弟子余仲嘉(1908～1941)、张祥凝(1909～1960)，以及初宗刘庆嵩，继师邓尔雅的刘玉林(庆嵩之侄，约1901～1950)等等。经李茗柯传授的印人有李之长子李步昌(1902～1970)、弟子区梦良(1888～?)等等。经刘庆嵩传授的印人有弟子陈融(1876～1956)以及其侄刘玉林等等。经冯康侯传授的有其三子冯文湛(1936～1977)，如此等等。"黟山(粤)派"印人承先启后，阵容壮观。

二、近代以来印坛工稳印风的杰出代表

将黄士陵印风放在其所处时代的横向坐标上作比较，亦是分析研究黄氏印风历史价值与地位所决不可或缺的一个重要方面。黄士陵所处的晚清印坛，名家迭出，较公认的是"晚清六家"。对于"晚清六家"的人员构成，历来说法并不一致，但吴(让之)、赵(之谦)、吴(昌硕)、黄(士陵)始终名列其中。西泠印社曾出版有《晚清民国六家印谱》，只是在吴、赵、吴、黄之后加入了齐(白石)与赵(时㭎)。孙洵著《民国篆刻艺术》一书中列民国印坛五大流派，为吴(昌硕)、赵(时㭎)、黄(士陵)、"浙派新军"(王禔、唐源邺为代表人物)与齐白石(齐派)。其实，辛亥革命发生于1911年，1912年民国建立。在此之前已辞世的黄士陵能名列民国印坛"五大流派"之一，应得力于黄氏所创"黟山(粤)派"在民国印坛的重要地位与影响。可见论及近代以来印坛的杰出大家，无论晚清或民国，也无论怎么个排法，吴昌硕与黄士陵是列于其中的。而吴昌硕、黄士陵在印艺上有一个共同点，就是两人皆膺服于吴让之与赵之谦。以两人尊崇吴让之为例，如前文所述，黄士陵曾多次提及其刻印时“参吴让之意”、“师吴让之先生”等等；而吴昌硕在印款中也表达过“此刻流走自然，略似仪征让翁”、“惜不能起仪征让老观之”之意，已足见两人对先贤的敬意。吴昌硕、黄士陵生年相近（吴长黄五岁），因而后人对黄氏的研究和评价，多以吴昌硕作比较，这不仅是因为吴、黄二人艺术成就与影响所造成的客观史实，还因为二人的印风各树一帜而对比鲜明，各臻其极且各显其妙。在近代以来的印坛上，吴昌硕的篆刻实践展示了写意印风自觉阶段的真正开始，而黄士陵则是工稳印风的杰出代表。相较而言，如吴印总体呈现出的特点是雄浑朴厚，可以“雄朴”二字概之；黄印风总体呈现出的特点是光洁峻挺，且以“洁挺”二字概之。雄朴与洁挺，已近印风之两极。再如吴印总体上圆意多于方意，黄印总体上方韵胜于圆韵。方与圆，又是一对矛盾的两个方面。再如吴动黄静，如此等等。这些对比鲜明的特色又是由二人在印艺上的审美理念及创作实践所决定的。吴昌硕的印学理念主要表现为借古开今，直抒已意。他曾问：“古昔以上谁所宗？”并直言：“我性疏阔类野鹤，不受束缚雕镌中。”（吴昌硕《刻印》诗句）吴氏刻印以《石鼓》为主孕其篆法，以钝刀猛力构筑线条（又创“刻加做”之法——用刀之外加人为手法），布局力呈自然，篆、刀、章三法浑融一体，呈现出的是一派雄朴之美。黄士陵的印学理念前已有述，他是力主宗秦汉应师其本来面目的，他倾心的是赵之谦的宗汉之理念：“无一印不完整，无一画不光洁，如玉人治玉，绝无断续处，而古气穆然，何其神也。”（黄士陵“欧阳耘印”印款）他广取金石文字为篆，以薄刃冲刀长驱入石，布局寓奇于平，以表现自己洁挺的审美主旨。若将两人在印风上的各臻其极细化到他们具体作品的对比，各自特色更为鲜明。如同为白文印，吴昌硕的“吴俊卿信印日利长寿”（图5—93），篆法力取石鼓斑斓之势并参以汉将军印苍茫之韵，钝刀力冲加以敲饰手法，线条、印边、布局古拙凝重又自然天成，观之顿感

图 5—93

一股雄朴之气扑面而来。而“祗雅楼印”(图 5－94)是黄士陵的白文代表作之一。初观其篆法,布局源于汉印,四字占地平均,应规入矩。细赏便知其在平正篆法中参些许斜笔、曲线,“雅”字右边“隹”上部一圆弧处理更令全印视觉为之一新。他以薄刃长冲,犀利而不露声色,平中寓奇,静中有动,洁挺之韵充盈全印。再如同为朱文印,吴昌硕所刻“石人子室”印(图 5－95),篆法舒展而朴厚圆劲,刀法涩畅而纯刃生拙,章法疏简而势连气贯。此印四字笔画皆少,他便在篆法上施以粗犷,在刀法上补以敲击,在章法上加以界格,成印后决不失一丝其所特有的雄朴之势,非凡之功力令人惊叹再三。再来看黄士陵所刻“十六金符斋”印(图 5－96),篆法得汉金文之秀挺,薄刃冲刀使得线条韧而峻拔,此印章法特色尤其引人注目,五字两排,呈“二三”布局,看似寻常,却因“十六”二字笔画少占了一行,“金符斋”三字笔画多也只占了一行,这样的处理看似不经意,实乃大经意,顿使疏密对比分外强烈,整印效果更显章奇气和,洁雅秀挺,大胆妙构使人回味无尽。通过以上两组作品的比较与赏析,吴黄两大家在印艺方面的创新胆识,当已可窥一斑。若以吴黄二人在近代以来印坛的影响力比较,黄士陵主要活动地区在南昌、广州、武汉等地,其影响以南方为主,也因此才有“黟山(粤)派”的诞生与承传;吴昌硕主要活动于上海,此乃近代以来我国通商、文化的中心地带,向周边的辐射力亦大,吴印风可据此广泛传播。黄士陵 60 余岁辞世,吴昌硕活了 84 岁。因而从客观的角度分析,从二人所处的天时地利条件及由此在当时印坛所产生的影响来看,黄是稍逊于吴的。但这又绝不会在总体局势上影响到黄在近代印坛上的地位,因为在近代以来的印坛上,写意与工稳这两种各臻其极又各显其妙的印风的领军人物,非吴、黄莫属,又由此奠定了两位杰出大家不可替代的历史地位。

图 5－94

图 5－95

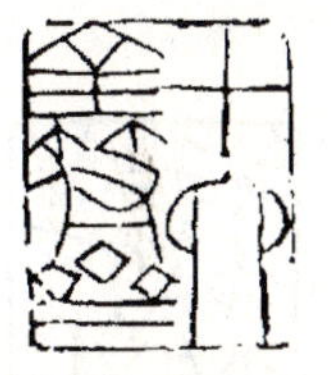
图 5－96

第四节　黄士陵印艺精神的意义

一、尊古爱今，铸己印风的印学理念

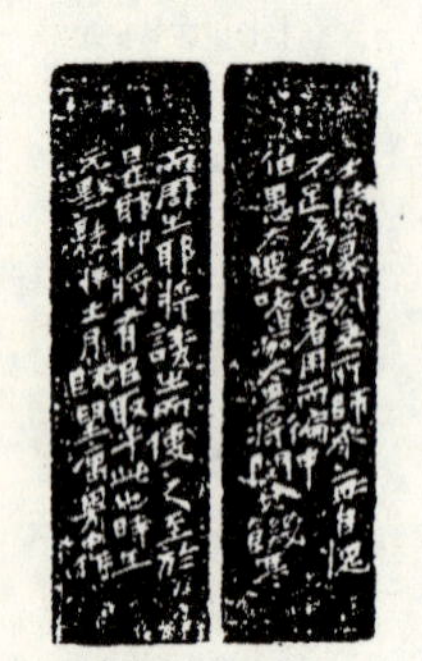

图 5－97

图 5－98

黄士陵在其所刻“同听秋声馆印”边款（图 5－97）曰：“士陵篆刻无所师承，每自愧不足为知己者用……”这是黄士陵作为古时学人及文人的自谦之词。事实上，其自刻印“万物过眼即为我有”（且刻过两方，图 5－98）已道破天机。结合其篆刻实践分析，他无所不师。他搜罗古今，广取精用，熔铸成自己独特的有着十分强盛生命力的洁挺印风，泽被“黟山（粤）派”的开创与承传。这种印风还有一个显著特色是有容乃大，这种“大”，体现在黄氏进行的多角度尝试给予后人极大的启示，众弟子只需师其一端，取其一路便可有获的史实。黄士陵印风的广大容量与独特风貌充分显示出，在艺术上只有敢于开放才能海纳百川，敢于合古今之大美而为己用就能走出一条新路。

二、善交善学，勤奋多产的篆刻实践

在黄士陵的人生与艺术历程中，他善交善学的情性，对于他的艺术事业与印风的形成，可以说起到了十分关键的作用。如黄士陵从南昌到广州时，也是他第一次到广州，他以印会友，很快结识了一批文人学士和爱好书印的官员，并得到了将军长善及其子志锐的赏识与推荐，使当时已 36 岁的他有了到北京国子监学习的机会。国子监是当时全国的最高学府，“一个少年失学的江湖艺人，能够有机会到国子监读书，委实难以想象，由此可见黄士陵是何等善于捕捉机会了。这一转折，不仅改变了他的生活道路，也使他得以在学问、见识与艺术诸方面迅速而全面地提高，其篆刻艺术的升华终于成

为可能”[1]。黄士陵第二次进广州与他后来归隐家乡又复出去武昌，也是应吴大澂、张之洞、端方等显要的邀请。正是这些经历，大大丰富了他的人生与艺术阅历。黄氏从事印艺的态度十分严肃认真，在“国钧长寿”印款(图5－99)中，有“篆凡易数十纸”之句，在“锻客”印款(图5－100)中，亦有“……三

图5－99

图5－100

易刻才得此……识者当知陵用心之苦也”之句，记载了黄士陵刻印时反复推敲，求精求变的创作过程。黄士陵主要以鬻印辑著为生，为好友、学生、客户刻过大量的印章。如他在广州为俞旦、欧阳务耘、黄绍宪、李茗柯兄弟、龙凤镳、张之洞、黄遵宪、胡汉秋、梁鼎芬、康有为等等以及外地来信求印者刻石；后来在武昌时期，为端方等以及广州旧好刻印，少者一方数方，多者竟达数十方，堪称勤奋多产，也唯有如此才会有今天黄氏为数可观的印章的存世和流传。

三、淡泊明志，终身探索的艺术精神

黄士陵早年在南昌间或鬻印为生，后虽到北京国子监学习，再到广州、武昌参与经史辑著工作，但他几乎是手不离刃，日不疏印。其弟为《心经印谱》跋中亦有“……酷暑严寒，未尝暂废，其嗜之之笃，至于如此”的感慨，笔者信此言为黄志甫亲

① 辛尘：《历代篆刻风格赏评》，第181页，杭州：中国美术学院出版社，1999。

眼目睹其兄持之以恒探索印艺的真实写照。黄士陵在“末伎游食之民”印款中曰:“今老矣,将抱此以终矣。”“抱此以终”,表明了黄士陵终生钟情篆刻,到老不懈探求的艺术精神。黄氏身为国子监学生,又数次作为当时显要的邀请之客(如前述吴大澂、张之洞,1902 年至 1904 年他曾应湖广总督端方之邀与其子少牧同去武昌,协助端方从事《陶斋吉金录》等书的辑著事宜),他若心存仕进之想,是有机遇实现的。然他始终过着鬻印辑著以自给的生活,虽辛苦不免有时窘迫(这种情景他在印款中亦多有叙述:“陵年来衣食奔走,藉篆刻为糊口计”,士恺长寿,图 5－101;“家贫落魄,无以为衣食计,溷迹市井十

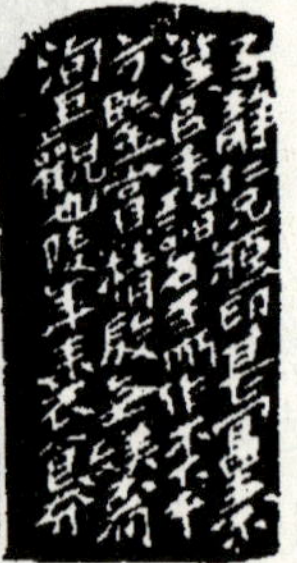

图 5－101

余年,旋复失业,湖海飘零,藉兹末伎以糊其口”,末伎游食之民),却其乐陶陶,始终未疏艺而问仕,相反吴大澂曾示意其捐官亦被他谢绝,其布衣一生想来是为了一心一意探索自己所钟情的篆刻艺术,毕竟淡泊可以明志。这种情愫在他所刻“心香”印款(图 5－102)中表达得十分明晰:“不乱财手香,不邪淫体香,不诳语口香,不妒忌心香。云间陈眉公奉此四香,以颜其居,予谓手与体尚是外境功夫,惟居心恬淡,摒除嫉妒,具见真学问。因检箧中旧石篆‘心香’二字以自励焉。”他还刻有“勇猛精进”印以增自己“居心恬淡”的“定力”,印款曰:“……汉口商富甲中土,歌楼舞馆,一挥千金者几无日无之,见可欲使心不乱二语,以为之防。倘偶有所见,即必运其勇猛坚固之

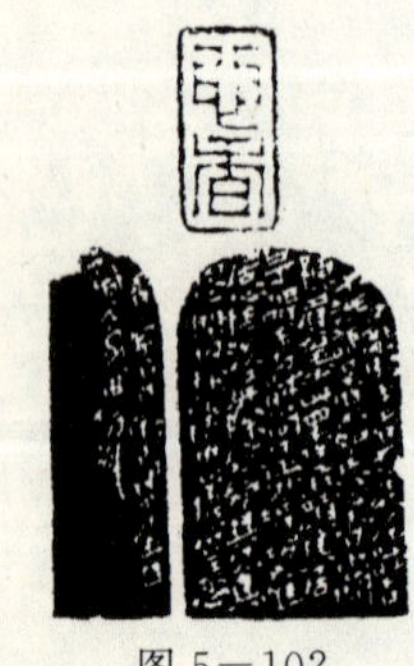

图 5－102

定力以御之，而外物不能摇夺矣。”(图5－103)“足吾所好玩而老焉”(图5－104)，是北宋欧阳修表明自己对金石文物笃爱的名言。吴让之曾以此入印抒志，而黄士陵曾数刻此句，足见其对艺术的钟爱之情。黄士陵于1904年回乡不复出，仍然是天天挥毫奏刀，也还悬例应客，晚年所刻“在黟减半”一印(图5－105)即是明证。黄士陵八九岁始习刻印，至60余岁辞世[①]，其操刀跨度50余年，说他是为刻印而生，以刻印终身，为篆刻艺术探索一生绝不为过。正如王易在《黟山人黄牧甫先生印存·题识》中所感叹的那样：“先生遗弃世荣，神与古会，萃五十年之精力，集二千载之大成，岂偶然哉！”[②]

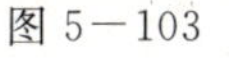

图5－103

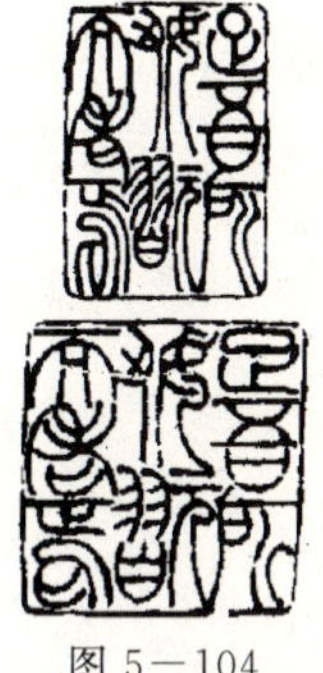

图5－104

图5－105

1918年，当时在广州的黄士陵弟子李茗柯、易孺、邓尔雅等成立了濠上印学社，弘扬乃师黄士陵印风，“黟山(粤)派”薪火相传，流风余韵，至今犹存。而在此前黄士陵已逝世于家乡古徽州黟县黄村，以一介布衣终其一生。由于归隐黄村与外界艺坛交往有限，黄士陵或许根本不知道印坛有“黟山(粤)

---

① 关于黄士陵卒年，韩天衡先生认为：“笔者亦曾赴黟县采访黄氏后人，诉其殁年并无文字记载，仅据回忆所定。事实上，黄氏曾刻有‘时年六十一’之印。后茗屋兄亦有大札告我，其后收有黄氏篆书联，署款为戊申之秋。可见，黄氏之卒年当延至后一年(1909)的春节期间。”(引自韩天衡：《印章故事(二)——由癖生缘话藏印》，《书法》，2008(3)。)晨欣先生认为：“黄士陵卒于‘戊申年’应是没有问题的，因为黄士陵长子黄少牧在《黄牧甫先生印谱》跋中称其父‘殁于戊申年’。其自幼随父左右，当时已至而立之年，又是其父去世时丧事的直接操办者，此说应当准确无误。……现在的关键所在是黄士陵到底卒于戊申年何月？……如是十月、十一月，那么当今各书所言黄氏卒于公元1908年没错，但如是卒于戊申十二月，那么转换为阳历，就是卒于公元1909年矣，也就是说，现在各书所载卒于1908年需改为1909年，黄氏活了61岁，而非现在所说的60岁。”(引自晨欣：《至今发现最迟的一件黄士陵作品》，载西泠印社出版社编《明清徽州篆刻学术研讨会论文集》，第169～170页，杭州：西泠印社出版社，2008。)本文为广取研究成果，对于黄士陵卒年与年寿均用“1908年后”、“60余岁”。

② 王易：《黟山人黄牧甫先生印存·题识》，载韩天衡编订《历代印学论文选》，第688页，杭州：西泠印社出版社，1999。

派"之称,也不知道自己的学问"乃大被于岭峤"①(这可能也是黄氏印款自叙中没有这方面内容的原因),更不能预测到自己身后能在印坛享受如此盛誉。但世上的事情往往很怪,常常是刻意以求者南柯一梦,无心插柳者绿已成荫,黄士陵属后者,这是一位真正的印坛杰出大家的情怀。

① 易忠箓:《黟山人黄牧甫先生印存·题记》,载韩天衡先生编订《历代印学论文选》,第689页,杭州:西泠印社出版社,1999。

第六章

邓石如与黄士陵印艺历程比较研究

邓石如与黄士陵生卒年相距百年左右。邓石如生于清乾隆八年(1743 年),卒于嘉庆十年(1805 年)。黄士陵生于清道光二十九年(1849 年),卒于光绪三十四年(1908 年)后。两人享年相仿,邓石如 63 岁,黄士陵 60 余岁。两人的人生与艺术经历极为相似:少年时代承家学,习诗文及书法篆刻,家境皆贫寒;20 岁左右先后走出家乡;然后都有着走四方、广交游的问学经历,从而都有幸结识了影响与决定自己一生的艺界朋友或政界显要;两人晚年回归故里,叶落归根,皆终身布衣;两人的故乡,即出生地与辞世地相距不远,同属安徽省,邓石如为安庆府怀宁县,黄士陵为徽州府黟县,因而邓黄都是“皖”民;在印坛上两人都堪称大家,一个开创了“邓(皖)派”,一个开创了“黟山(粤)派”。邓号“完白山人”、“笈游道人”,黄号“黟山人”、“倦游窠主”;邓有“石户之农”印(图 6－1),黄有“末伎游食之民”印(图 6－2);……100 年时间,在历史的长河中堪称一瞬,而在人生的道路上却是漫漫征途。

图 6－1

图 6－2

第一节　邓黄印艺道路的共同点

一、少年承家学,境贫寒,先后走出故乡

乾隆八年(1743 年),邓石如出生于皖江之畔怀宁县大龙

山西北之白麟坂。其祖父邓士沅，号澹园，精书史、书法，居田园以布衣终身。其父邓一枝，号木斋，终年在家乡或外地教书，擅诗文书法篆刻。邓石如出生于这样的家庭，应为书香门第，耕读之家。惜木斋先生教书收入微薄，加之家庭人口较多(邓石如兄妹5人，石如为长)，所以生活贫困。邓石如9岁时曾从父在塾中读书一年，接着就因生活所迫辍学，靠采樵贩饼饵(砍柴卖于市，得钱购买大饼回村中贩卖)维持生计。得暇他就临摹木斋先生书印，并仿汉印篆文，还虚心向村中诸长老请教学问，17岁时邓石如走出家乡，开始以鬻书、刻印游走南北。19岁时曾随祖父士沅先生至寿州，此时他已能训蒙，为童子师。后终因见生徒调皮难训，即弃之复鬻书印为生。

在邓石如诞辰106年后的道光二十九年(1849年)，黄士陵出生于古徽州黟县黄村。几乎与邓石如一样，他也有着耕读传世的家世渊源。其父黄德华，字仲和，精说文，擅训诂，工诗文，有《竹瑞堂集》行世。在这样的家境中，黄士陵的童年、少年时代应是有条件涉足书印之道的。这段经历有其弟黄志甫为黄士陵早年篆刻集《心经印谱》的跋文为证："兄八九岁时，诗礼之暇，旁及篆刻，自鸟迹虫篆，以及商盘周鼎、秦碑汉碣，无不广为临摹。"这段记述的真实度是可信的。兄弟手足，自幼了解。再加之记述中八九岁的黄士陵习"诗礼"，"及篆刻"，"自鸟迹虫篆"，"商盘周鼎、秦碑汉碣"，"广为临摹"，与其父仲和先生的"精说文、擅训诂，工诗文"的治学范围是吻合的。关于黄士陵青少年时代的遭遇，在其自刻印"末伎游食之民"印款中有所描述："陵少，遭寇扰，未尝学问。既壮，失怙恃，家贫落魄，无以为衣食计，溷迹市井十余年……"根据黄氏自叙和综合这方面的有关资料，大致可以推算出，黄氏14岁左右因家乡战乱失学；17岁左右丧父母；20岁左右走出古徽州，离乡背井到南昌谋生。

二、同具广游善交情性，得助成学

乾隆三十九年(1774 年)，32 岁的邓石如在寿州结识了寿春循理书院山长梁巘。梁在与邓的接触中意识到邓“笔势浑鸷，余所不能，究其才力，可以陵轹数百年巨公”的潜力，但亦存“此子未谙古法”之遗憾①。遂有乾隆四十五年(1780 年)推荐 38 岁的邓石如至江宁梅镠家的荐才举动。梅氏为北宋以来江左望族，家藏丰富。梅镠三兄弟既重梁巘之荐，又重石如之才，遂尽出所藏，邓石如得以遍摹三代秦汉金石名迹，眼界大开，加之他朝夕不辍，功力日进。这段经历已有多种文献论及，此不赘述。在这之前的乾隆四十三年(1778 年)春，邓石如在游历途中于广德遇到经学家、书法篆刻家程瑶田。对这位年长自己 18 岁的前贤，邓石如倾心问学，敬重有加。两年后的 1780 年秋月，邓石如住在扬州地藏僧舍习篆隶书，程见邓临古有获，归寓检行箧中书帖数十本给山人摹习，并将手录所著书学五篇赠山人，经常指授。邓虚心聆教，朝夕揣摩。邓石如后来回忆说，自己的书法经程瑶田指教后，“余书始获张主。今余篆隶书见称于世，皆先生教也”②。从中可见程对邓的重要启示作用及邓对程的感恩之情。程瑶田于 1781 年在与云飞七兄信中曾评价邓石如印风“怀宁邓君字石如，工小篆，已入少温之室。刻章宗明季何雪渔、苏朗公一辈人。以瑶田所见，盖亦罕有其匹。明复上错元人，刚健婀娜，殊擅一场，秦汉一种则所未暇及者，然其年甚富，一变至道，至至道不难也”③。谓邓印风“刚健婀娜”，确为至交之评，沿传至今。与前述梁巘同样，程也中肯地指出邓印还需从秦汉印中汲取营养，但同时程认为邓还年轻，来日方长，大道在变，必成正果。从中亦可看出程对邓了解至深。乾隆四十六年(1781 年)，经程

---

① 《邓石如丛刊》第 1 辑，第 27 页，合肥：中国书法家协会安徽分会，1983。

② 王家新主编：《邓石如书法篆刻全集》，第 387 页，天津人民美术出版社，2005。

③ 王家新主编：《邓石如书法篆刻全集》，第 388 页，天津人民美术出版社，2005。

瑶田介绍，邓石如结识了歙县人金榜(壬辰一七七二年科状元，翰林院修撰)，金倾藏而出，供邓学习，并与邓共同探讨书艺。金对邓的帮助和他们两人之间的友情，在后来金逝世后邓写的挽文中有动人的描述："先生忘其贵，余忘其贱，款款相接，颖滨一室，寝斯食斯，不厌不倦，此情亦足千古也。"[①]由于金榜的推介，邓石如有机会认识了户部尚书、太子太傅、歙县人曹文埴。曹请邓作四体书千字文，石如一日而成，皆字大径寸。曹以五百金予邓，同时十分赞赏邓的才华，其后便有乾隆五十五年(1790 年)曹邀邓共进京城之佳话。虽因邓执意独行，但曹邓二人进京途中相遇于山东时，曹当众介绍说："此江南高士邓先生也。其四体书皆为国朝第一。"[②]这样的高度评价出自当时政坛显要之口，毋庸置疑，对一介布衣艺术家邓石如的宣传作用是巨大的。进京后，曹荐邓认识了大学士刘墉、左副都御史陆锡熊。刘为大书法家，陆为鉴定家，两人皆评价邓书法"千数百年无此作矣"[③]。这又使得邓石如书名播扬京城。后来当内阁学士翁方纲对邓不满加以诋毁，邓无法立足京城之时，又是曹文埴于乾隆五十六年(1791 年)荐邓赴武昌湖广总督毕沅幕府做宾客三个年头，使得邓新结识了一批朋友，并扩大了社会影响。嘉庆七年(1802 年)秋，邓石如于镇江遇泾县包世臣，相见恨晚。包为山人知己，后在其所撰《艺舟双楫》中，大力推崇邓石如。"事实上，上述这些人虽然不少都是清廷的大小官吏，有的还长期受到帝王的宠信，但其中大多数又毕竟是在学术上或在书画篆刻艺术上修养有素的学者专家，见到邓石如具有如此精湛的艺术造诣，自然也就不禁为之所动，乃至'啧啧赞叹不已'誉之为'江南高士'，'四体书俱

---

① 王家新主编:《邓石如书法篆刻全集》，第 393 页，天津人民美术出版社，2005。

② 穆孝天主编:《中国书法全集·邓石如卷》，第 298 页，北京:荣宝斋出版社，1995。

③ 王家新主编:《邓石如书法篆刻全集》，第 390 页，天津人民美术出版社，2005。

国朝第一’、‘词气雄伟，动合古人’的诗人等等”①。

黄士陵的交游得助经历与邓颇为相似。他在南昌时期间或鬻印为生（从其所刻“末伎游食之民”印款自叙“溷迹市井十余年，旋复失业，湖海飘零”来推断，黄氏在南昌为生计也做过鬻印以外的其他活计，如与人合开照相馆或在照相馆内打工等等，否则无从“旋复失业”的说法）。有资料提及由于黄氏经常给书馆写书签曾引起江西学政汪鸣銮的注意与赏识，但从黄士陵于光绪八年（1882 年）左右离开南昌去广州谋取发展这一动向分析，汪对黄的作用最起码是很有限的。否则，黄氏具此背景，又有着在南昌生活了十几年的经历，何苦舍近而求远呢？可见黄氏真正的交游，是从他一进广州后开始的，此时他已 34 岁左右，仍以鬻印为生。佐证是此时期先由符子琴为他代订了鬻印润例《黄穆父润笔》，其中提及印章每字石二钱，巨石五钱，牙、角、竹、木三钱，玉、金、铜、瓷一两。在此稍后的《延清芬室篆刻》中黄氏印润例如下：石章每字二毫，巨石半元，次三毫，象牙、竹根三毫。黄氏亲笔附加“腰圆、圆、天然均加一毫，象、根、竹加倍”②。黄士陵一入广州期间（光绪八年至光绪十一年）的最大收获皆与他以印会友有关。一是与振心农交游，使得他有机会饱览了他心中偶像之一吴让之的晚年印谱，并有“心领而神会之”，“进乎技”（“丹青不知老将至”印款）的收获。二是交游了不少文人士大夫，这其中就有时在广州任将军的满族贵族长善及其子志锐太史，从黄氏所刻“志锐”印款“士陵为伯愚太史镌石甚多”来看，黄氏与他们的来往仍是以印为媒的。这段交游的结果迎来了黄士陵人生的大转折，使他有机会于光绪十一年（1885 年）八月进入当时的全国最高学府国子监去学习。“牧甫没受过正规的教育，也不曾参

① 穆孝天主编：《中国书法全集·邓石如卷》，第 14 页，北京：荣宝斋出版社，1995。
② 陈茗屋：《黄牧甫事迹初探》，《书法研究》总第 20 辑，第 22 页，上海书画出版社，1985。

加科举考试，他后来能够到全国最高学府——国子监读书，完全是将军长善及其儿子志锐等人大力揄扬荐举的结果”①。是年黄士陵已36岁。清末盛行金石考古学，成果灿然。京师国子监学者云集，藏龙卧虎。黄士陵置身此间得缘问学于当时著名学者吴大澂、王懿荣、盛昱、蔡赓年等，从而获得了一次难得的学习机遇。吴大澂是著名金石家、收藏家、书法篆刻家，著述丰富，吴平正规整的书风对黄士陵书印风格的形成是有影响的。王懿荣是我国发现和收藏殷墟甲骨第一人，金石家、藏印家、书法家，后任国子监祭酒。盛昱为清宗室，是黄士陵在国子监学习期间的国子监祭酒，为当时的金文收藏大家。蔡赓年因校勘太学石壁十三经而著有《石经表》四卷，为著名学者。黄士陵问学交游在这些大学问家之间，再加上他勤奋谨慎善交善学的秉性，收获之大可想而知。这种收获体现在理念与实践两方面，并且不久就在黄士陵离开京城后显示出来。光绪十三年(1887年)左右，黄士陵由京城二入广州。他是应张之洞、吴大澂之邀，参与广雅书院校书堂的编辑工作，并为吴氏编辑《十六金符斋印存》等。张之洞时任两广总督。吴大澂曾是黄士陵老师，时任广东巡抚，后又奉调湖南巡抚。黄士陵有了先前在国子监的博汲历程，加上这次二入广州初期的交游闻见，特别是在为吴大澂编辑《十六金符斋印存》过程中得缘饱览了数量可观的未经剥蚀、铸口如新、光洁峻挺的古玺秦汉印(该《印存》收有古玺、官私印等共计1146方)，这些活生生的实物，使黄士陵对古玺汉印本来面目的认识有了一个质的飞跃，并与赵之谦对汉印的理解和审美理念深深吻合，他由此逐渐完成了对汉印审美本质从实践到理论的认识历程。光绪十四年(1888年)，应是黄氏印风审美理念形成过

① 马国权：《黄牧甫和他的篆刻艺术——〈黄牧甫印谱代序〉》，载《黄牧甫印存》，第2页，杭州：西泠印社出版社，1982。

程中由渐变的积累到顿悟的产生的转折之年。其印学理念的顿悟表现在他所刻"季度长年"印款中:"汉印剥蚀,年深使然,西子之颦,即其病也,奈何捧心而效之";而他刻于同一年的白文印"椒堂",便是这一顿悟的实践产物。自此,黄氏印风日渐表现出光洁峻挺之韵,渐具独特风貌,直至晚年更入化境。黄士陵于光绪二十六年(1900 年)离开广州回到故乡古徽州黟县黄村后,于光绪二十八年(1902 年)又成行了一次交游——应湖北巡抚署湖广总督端方之邀,携长子少牧共赴武昌,协助端方辑著《陶斋吉金录》。端方是金石家、收藏家,所藏商周彝器、玺印、碑碣、金石甚富。在武昌这段时间,黄士陵除了辑著工作外,继续交游名家,刻了不少印章。武昌之行,是黄士陵一生中的最后一次出行交游。

虽然相隔百年,邓黄两大家皆到过京城。邓石如一生两入京师。第一次是乾隆三十七年(1772 年)邓 30 岁时曾游京师;第二次是乾隆五十五年(1790 年)邓 48 岁时受曹文埴之邀入京。黄士陵则是光绪十一年(1885 年)36 岁时经荐入京国子监学习。然而,两大家出京时的情景是大不相同的。邓石如二入京师时因未拜访翁方纲终遭力诋而"顿踬出都";黄士陵则是在国子监饱学后满载而归。还有一个历史巧合是,邓黄两位皆在武昌客居过三个年头,而且在武昌时,两人皆过知天命之年,心境亦大有相通之处。乾隆五十八年(1793 年)夏日,邓石如在武昌毕沅署致老友徐嘉谷信中曰:"来此坐食无事,日见群蚁趋膻,阿谀而佞,此今之所谓时宜,亦今之所谓捷径也。得大佳处,大抵要如此面孔,而谓琰能之乎?日与此辈为伍,郁郁殊甚,奈何奈何!琰将弃此而归尔……"[①]是年,51 岁的邓石如离开武昌回到故乡。无独有偶,整整 110 年后的光绪二十九年(1903 年),也就是黄士陵应端方之邀赴武昌

① 王家新主编:《邓石如书法篆刻全集》,第 391 页,天津人民美术出版社,2005。

的次年春月，他刻了“勇猛精进”白文印，印款中亦表达了与邓近似的感慨：“汉口商富甲中土，歌楼舞馆，一挥千金者几无日无之，见可欲使心不乱二语，以为之防。倘偶有所见，即必运其勇猛坚固之定力以御之，而外物不能摇夺矣。”翌年，55岁的黄士陵即由武昌回归黟县黄村。一个面对“阿谀而佞”之“所谓时宜”“郁郁殊甚”，“将弃之而归”；一个面对“歌楼舞馆，一挥千金者”，“即必运其勇猛坚固之定力以御之”。百年之隔，君子之风相同，心音相近。

三、晚年回归故里，叶落归根，皆终身布衣

邓石如游食生涯大约40年左右，几乎占去他全部生命光阴的三分之二时间。晚年不外出时，以铁砚为伴，白鹤为伍，过着“朝朝两件闭功课，鹤放晴空理钓舟”的平淡日子。邓石如终身布衣，嘉庆十年(1805年)九月，他63岁时还应邀去泾县作书，惜因病未竟就匆匆回到白麟坂，至十月病逝于故乡。

光绪三十年(1904年)，黄士陵从武昌回到黄村，时年56岁，从此他再也没有离开过故乡。晚年黄士陵仍然是天天挥毫奏刀，也还悬例应客，其所刻“在黟减半”一印即为明证。至光绪三十四年(1908年)后，距邓石如辞世103年左右，黄士陵在刻就了不朽绝作“古槐邻屋”白文印后，以布衣终老黄村，享年60余岁。

邓黄二人皆为布衣大家，以他们的胸襟与功力，60余岁应正是年富力强之时，艺术上堪称黄金年华。倘若天假以年，二人寿命再长一些，那么，他们印艺作品中所存在的一些缺憾，如朱白文印风格尚未高度统一等，皆有望改观，二人亦必能为世人留下更精妙的大作。然，两大家早逝毕竟已是史实，只能令后人久久痛惜慨叹！慨叹之余，笔者不禁想起曾宗法“邓(皖)派”印风的吴昌硕。邓石如63岁辞世，而吴昌硕63岁后不断刻出许多精妙之印，如朱文印“鲜鲜霜中菊”(72岁刻)、“画征”(77岁刻)等；白文印“海日楼”(76岁刻)、“无须老

人”(81岁刻)等。吴昌硕70岁时,被公推为西泠印社社长,在印坛为“吴派”创立者。他享年84岁,比邓石如多活了21年,21年,能做多少事情啊!再如曾印仪黄士陵的齐白石,他比黄晚生15年,却比黄晚逝世半个世纪,他的享年比黄长了34年。黄士陵60岁左右去世,而齐白石60岁还处于自己的“衰年变法”时期,他的许多艺术精品都是变法后才完成的,他是愈老愈厉害。他变法后的白文印“夺得天工”、“中国长沙湘潭人也”等,朱文印“草木未必无情”、“人长寿”等,纵横排奡,风格鲜明,从而成为印坛“齐派”始祖。齐白石年近90岁出任全国美协主席,90岁被文化部授予人民艺术家奖誉,93岁获国际和平奖(齐白石生于1864年,卒于1957年,实际享年94岁。他自署年龄比其实际年龄大几岁的缘由,是1937年“齐白石信相士之言,用‘瞒天过海’法,跳过二年,自署77岁”[①]。)应当说,吴齐与邓黄一样,都是布衣艺术大家。由于吴齐享有高寿,他们在生前便得到了与他们艺术成就相应的社会与艺术地位,这一点早逝的邓黄无法比拟;也正是吴齐的高寿,使得他们有足够的时间来不断精化自己的艺术作品,在印艺方面吴齐的朱白文印风格皆达到了高度的统一,这一点,邓黄亦留有遗憾。通过比较足可证明,长寿对于艺术家太重要了!

四、皆成流派,光耀印坛

邓石如的篆刻艺术以其从审美理念到技法诸方面所呈现出来的崭新风貌,引人注目并风行于乾嘉之际。“乾嘉之交,江南北印人号大师者,于浙则钱唐丁氏,于皖则怀宁邓氏”[②]。师从邓石如或受其印风影响者众多,这众多师承者便组成了“邓(皖)派”印风的强大阵容。其中的佼佼者有吴让之、赵之谦、徐三庚、吴昌硕、黄士陵等等。再往后,仅以由清末进入民

① 韩天衡主编:《中国篆刻大辞典》,第811页,上海辞书出版社,2003。

② 《邓石如丛刊》第1辑,第35页,合肥:中国书法家协会安徽分会,1983。

国的最后一位篆刻大师吴昌硕为例，其师从者便无以计数。总之，"邓(皖)派"印风的泽被领域可谓纵横广大。

黄士陵二入广州后，经过1888年在篆刻艺术上的顿悟，其光洁峻挺的印风令人耳目一新，说明他此时确已具备了学术上的实力。此后，其印风影响日渐扩大，印名日隆，已是情理之中的事。许多印人弃原习转而师黄，入室学习或私淑黄氏印风者颇多，在近代以来印坛享有盛名者有易熹、李茗柯、邓尔雅、乔曾劬等，加上众多再传弟子，可以说，近百年来，"黟山(粤)派"印人承先启后，阵容壮观，流风余韵，至今犹存。

沙孟海先生在《印学史》中指出："邓派这个名称，是邓石如再传弟子吴熙载最早提出来的。"[①]吴让之生于嘉庆四年(1799年)，邓石如嘉庆十年(1805年)去世时，吴让之刚6岁。吴曾自叙："让之弱龄好弄，喜刻印章。十五岁乃见汉人作，悉心摹仿十年……又五年，始见完白山人作，尽弃其学而学之。"[②]据此推断，吴让之是在30岁左右才开始师法邓石如的，而他提出邓派名称的时间应在此之后。这就是说，吴提出邓派名称时，邓石如已逝世多年了，邓生前是不知道印坛有邓派之称的。黄士陵及粤派的情况与邓石如与邓派的情况很为相似。民国七年(1918年)，当时在广州的黄士陵弟子李茗柯、易孺、邓尔雅等成立了濠上印学社，这是一个印学团体，可视为粤派称于印坛之滥觞。而此时距黄士陵逝世于其故乡黟县黄村已有近十年了，因而黄士陵亦不知道自己有粤派创始人之位的。邓黄二大家真可谓无心插柳者，但，绿已成荫！

五、作而不述，技进乎道

邓黄在印艺理论方面具有的共同点是两人基本作而不述，技进乎道。如果说他们有"述"的话，也大都表现在他们的

① 沙孟海:《印学史》，第157页，杭州:西泠印社出版社，1998。

② 吴让之:《吴让之印存·自序》，载韩天衡编订《历代印学论文选》，第595页，杭州:西泠印社出版社，1999。

"作"中,即他们偶得的创作体会化为精练的审美理念表现在他们的篆刻作品(印面文字、印款文字)中,这些笔者前已有述。其实,邓石如仅凭"印从书出"的创新实践,黄士陵仅凭还汉印"光洁峻挺"本来面貌的成功探索,已足可使他们名显印坛了。邓石如一生着力碑学,变法书法,篆隶尤显。从他一生的艺术历程看,篆刻对于他来说,早期是爱好与谋生手段,后来或兴得、或用于交游应酬。他的篆刻作品并非件件佳作,但却有一些精品存世,如朱文印"江流有声断岸千尺"、"意与古会"(图6－3),白文印"我书意造本无法"等等,代表了他印艺方面的最高水准,也代表了他作为"邓(皖)派"印风开创人物的探索深度与水准高度,奠定了他在印坛的地位。黄士陵一生以辑著工作和治印为生,他与邓相同之处是以印交游应酬,不同之处是他以鬻印为生,这包括了黄的大多数篆刻作品。黄印也并非件件佳作,但他亦有精品代表了他的最高水平,其白文印如"古槐邻屋"(图6－4)、"祗雅堂",朱文印如"十六金符斋"等等,这类作品是黄士陵作为"黟山(粤)派"印风开山鼻祖的奠基石。这些都在无言地启示后人:一代大师的传世之作并不仅仅在于数量的多寡,关键在于其精品所达到的思想与艺术的高度和创新性,而创新的程度又决定了其作品的价值,而价值又能决定其历史地位,因为精华往往是浓缩的。

图6－3

图6－4

第二节　黄士陵心仪邓石如

邓石如生前曾到过黄士陵家乡徽州,并在这里与程瑶田等师友往返活动,他是无法预见百年之后这片土地将会走出一个杰出的同行后继者黄士陵的。但百年后的黄士陵则是实实在在地沐浴到了邓石如这位先贤的印学成果的泽惠,并诚心诚意地学习、研究、承传着邓石如的印学思想。"不仅他的三十岁以前的《心经印谱》中的作品大多显示了邓派的风貌,

图 6—5

图 6—6

图 6—7

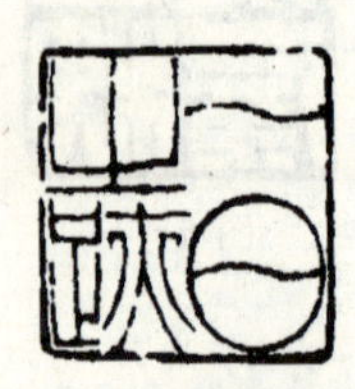

图 6—8

图 6—11

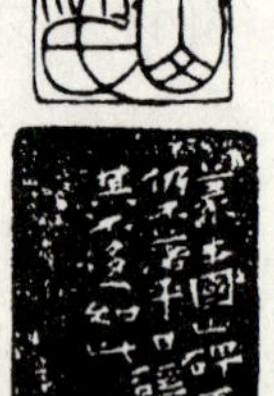

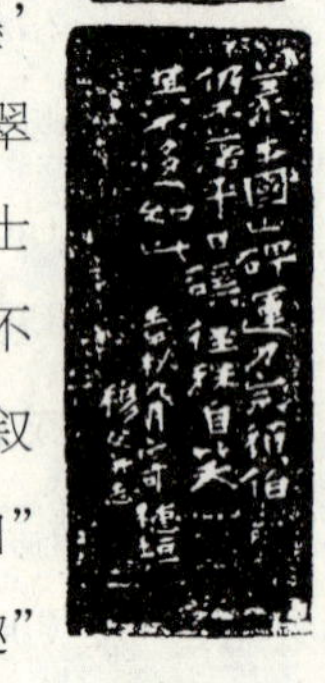

图 6—9

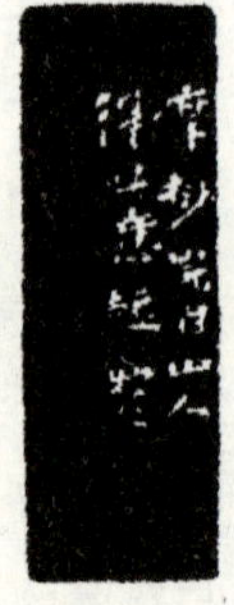

图 6—10

就连他的三十岁以后的作品,如'胸有方心身无媚骨'(31 岁作,图 6—5 邓石如刻,图 6—6 黄士陵刻)、'禺山梁氏'(34 岁作,图 6—9)、'石邻翰墨'和'化笔墨为烟云'(35 岁作),以及 50 岁以后的'翠岩'、'一日之迹'(图 6—7 邓石如刻,图 6—8 黄士陵刻)和晚年的'逸休堂'(图 6—11)等等,都是不折不扣的仿邓之作"[①]。这些在黄氏的印款自叙中亦多可见之。如"篆本《国山碑》,运刀宗顽伯"(禺山梁氏,图 6—9);"摩挲完白山人,得此意趣"(穆父读碑,图 6—10);"久不仿完白山人印章,三十年前日习之"(逸休堂,图 6—11);"完白篆书以唐人形貌作长体,而气味直逼《嵩山》,先哲已详言之矣,岂待后生小子之喋喋耶?摹其二字为云丈刻石"(翠岩,图 6—12);"邓完白为包慎伯镌石甚多,有'包氏慎伯'四字朱文,圆浑似汉铸,挺直似宋人切玉,锋芒显露近丁、黄,魏稼孙谓赵㧑叔合南北两宗而自树一帜者,其来有自"(五十以学,图 6—13);"完白、攘之二法参用"(张琮印章,图 6—14);特别是他在"化笔墨为烟云"(图 6—15)印款中所云,"或讥完白印失古法,此规规守木板之秦、汉者语。善乎,魏丈稼孙之言曰:'完白书从印入,印从书出',卓见定论,千古不可磨灭。陈胜投耒,武侯抱膝,尚不免为偶耕浅识者之所嗤笑,况以笔墨供人玩好者耶"!这段叙述,黄氏充分肯定了邓石如这位印坛先贤"书从印入,印从书出"的书印理念与实践是"卓见定论,千古不可磨灭",同时也表明黄氏在印学理念上的逐渐成熟。此外,"邓(皖)派"印风阵容中的赵之谦对黄士陵的启示是极为关键的,吴让之印风亦使黄受益匪浅,这些在

① 穆孝天主编:《中国书法全集·邓石如卷》,第 19 页,北京:荣宝斋出版社,1995。

黄氏印作与印款自叙中比比皆是。

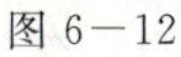

图 6—12

图 6—13

图 6—14

图 6—15

第三节　邓黄印艺历程的特色

对于邓石如与黄士陵这两位在时间上相距百年的印坛大家的艺术精神及历史思考与现实启示，笔者曾做过简略梳理（见第四、五章）。本节通过对两位大家的比较研究，在综合上述个体特征的基础上，笔者以为两位大家身上所共同具有的、启人深思的、具有普遍历史与现实启示的表现如下。

一是开放善交的人生观。邓石如 19 岁即能为童子师，但他却没有走先辈教书的老路，而是胸怀奇志，走出故乡，广交师友，一生精研书印艺术。邓石如所交游的师友，有雅士文人，有显臣硕望。前者如程瑶田、金榜等；后者如曹文埴、刘墉、陆锡熊等。梁巘识才，梅镠相助，程瑶田等指授，金榜、曹文埴等扶持，在印艺上吴（让之）赵（之谦）等力承……而将邓石如书法篆刻艺术提升至理论高度与历史显位的是晚清的包世臣、康有为和现当代的沙孟海。黄士陵亦如此，开放善交的情性，对于他的艺术事业与印风的形成，可以说起到了十分关键的作用。如黄士陵从南昌到广州时，也是他第一次到广州时，他以印会友，很快结识了一批文人学士和爱好书印的官员，并得到了将军长善及其子志锐的赏识与推荐，使当时已36岁的他有了到北京国子监学习的机会。黄士陵第二次进广州与他后来归隐家乡又复出去武昌，也是应吴大澂、张之洞、端方等显要的邀请。正是这些经历，大大丰富了他的人生与艺术阅历。令人浮想不已的是，倘若邓黄没有走出故乡，结局将怎样？抑或像邓石如为童子师？倘若走出故乡不能善交得助，其人生道路又会怎样？抑或像黄士陵在南昌那样替人打工间或鬻印为生？然这只是浮想。史实是邓黄二人皆毅然走出了白麟坂和黄村，走出古皖和徽州，并敢于在茫茫人海中寻觅，善于结交，善于学习，努力改造各自的生存与学习环境，直至改变了自己的命运轨迹。

二是博汲独造的价值观。一个艺术家的经历、人品、修养等，陶冶着他的审美理念，由此决定着他的艺术格调与风格，再由此决定着其艺术作品的价值。邓黄二人的才情气魄构成了他们艺术成就的基石，人们在其艺作中强烈感受到他们的性格特点、精神境界和艺术价值观。邓刻过两方印："用我法"（图6－16）、"我书意造本无法"（图6－17）。邓所处的清代印坛，当时已有程邃的歙派、林皋的林（鹤田）派、许容的如皋派、扬州印派、丁敬的浙派等等。邓印始承梁千秋、程邃，之后，他篆法直溯三代与李斯、李阳冰，形成风格独特的篆书艺术，而后再将篆书入印，独辟"以书入印"的印艺篆法新思，印风刚健婀娜，面貌一新，从者众多，"邓（皖）派"兴起，终在印坛与浙派平分秋色，南北呼应。而邓的启后作用更为引人注目，沿着他开创的"以书入印"的大道，又走过来不断完善"印从书出"的吴让之，继之是"印外求印"的赵之谦，再继之为近现代印坛写意工稳印风的两位代表人物吴昌硕、黄士陵……邓游历四方是为了师法大自然。他游匡庐、天台雁荡，到新安江，遍览黄

图6－16

图6－17

山三十六峰，登衡山泛洞庭望九嶷，渡黄河谒孔林登泰山，只一斗笠，一竹篋，一木杖，一双草鞋，几件布衫而已，常栖息于荒庙野寺。其目的很明了，即以山川浩然之气融于笔端腕底。他书倦必游，游倦必书。“他把篆书上生龙活虎千变万化的姿态运用到印章上来，这是印学家从未有过的新事。活力充沛，气象一新。特别是朱文印，光气焱焱，不可逼视，更有创造性的发展”[①]。无独有偶，前已有述，黄士陵亦持尊古爱今，铸己印风的印学理念。邓黄二人博汲独造的价值观终使得他们能纵横融变，铸出自家印风，创立流派，成为大家，从而能在印坛千古流传。

三是终生奋斗的艺术精神。邓石如人生与艺术道路坎坷，生活境遇辛酸备尝，在艺坛上则遭受了内阁学士翁方纲等人的妒忌，邓在诫侄书中曾言自己“甜酸苦辣，无不尝来”[②]。然他从来没有在逆境中屈服，一生刻苦自励，艰苦奋斗，“胸有方心身无媚骨”(邓印句)，“推半窗明月，卧一榻清风”(邓书句，图 6－18)，过着以书刻自给为主的游历生涯，直至终老。程瑶田称赞他“一切游客习气丝毫不染，盖笃实好学君子”[③]。包世臣亦赋诗赞曰：“斯冰骨既朽，千载绝妙迹。吾皖产布衣，壮观顿还昔。”[④]黄士陵亦是淡泊明志，终身探索(见第五章)。黄士陵操刀刻印跨度 50 余年，说他是为篆刻艺术探索一生绝不为过。正如端方为黄士陵撰写的挽联所总结的那样：“执竖椽直追秦汉而上，金石同寿，公已立德，我未立言；以布衣佐于卿相之间，富贵不移，出为名臣，处为名士。”[⑤]

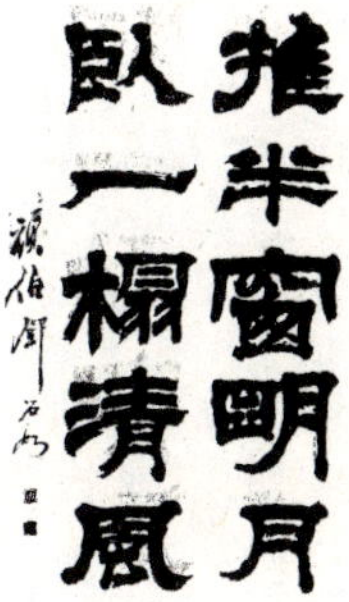

图 6－18

应当说，似邓黄这样出身微贱，而又不入仕途，却终成大

---

① 沙孟海：《印学史》，第 156 页，杭州：西泠印社出版社，1998。
② 《邓石如丛刊》第 1 辑，第 51 页，合肥：中国书法家协会安徽分会，1983。
③ 王家新主编：《邓石如书法篆刻全集》，第 388 页，天津人民美术出版社，2005。
④ 《邓石如丛刊》第 1 辑，第 57 页，合肥：中国书法家协会安徽分会，1983。
⑤ 王玉龙：《黄士陵年表简编》，《中国篆刻》，1997(4)。

家者，在历代名家中是罕见的。他们骨气铮铮，百折不挠，为艺术奋斗一生、贡献一生的艺术精神，他们贫寒养刻苦、善交得伯乐、博汲铸特色、布衣成大家的共同经历，给后学者留下了无尽的启示与动力。

附录

明清徽皖籍篆刻家简表

姓名	字号	时期	原籍（寓住地）	简注
歙县：				
方大治	字际明，更字在宥，号九池	明（1517～1578）		喜藏印。
罗南斗	又名王常，字幼安，又字延年，号懒轩，别署青平生	明（1535～1606后）	（松江）	精鉴别。1571年、1575年与顾从德共辑《集古印谱》、《印薮》，1606年编《秦汉印统》。
吴良止	字丘隅、仲足，号未央	明（?～约1588）		能六书，尤喜治金、玉印。
吴良琦		明		吴良止弟。
吴元维	字伯张	明	新安	
方用彬	字元素、思玄，号黟具、兰皋外史、兰皋逸史	明（1542～1608）		能刻铜、玉印。
陈　茂	字子木，号柴中	明		
苏　宣	字尔宣，一字啸民，号泗水	明（1553～1626后）		1617年刻印拓《苏氏印略》4卷。为“泗水派”开创者。善击剑。
吴　迥	字亦步	明（1555～1636）		自刻印1614年辑成《晓采居印印》，1618年辑成《珍善斋印印》。能刻竹。
吴　忠	字孟贞	明	新安	1615年辑成《鸿栖馆印选》。
詹　何	负羁	明	新都	著有《明臣印谱》。

续表

姓名	字号	时期	原籍（寓住地）	简注
罗周旦	字孔兼，号方外余生	明		精六书。喜鉴赏。工花鸟。与何全臣合著《古今画鉴》。
吴元满	字敬甫	明		通古文字。1597年摹刻印成《集古印选》，又著有《六书正义》等。
鲍伯英		明	新安	
吴元定		明	新安	有《吴元定印谱》。
何叔度		明	宣城	
罗伯伦		明	新安	罗南斗子。
何　遵		明	新安	
罗彝叙		明	新安	
胡禹声		明	新安	
吴　荣	一作吴道荣，字尊生	明	新安	善乐府。作元人杂剧。
徐上达	字伯达	明	新都	1614年著成《印法参同》。
洪复初		明	新安	
徐　起	字仙客	明		徐上达子。参与《印法参同》编撰。
吴　泰	字去骄，一作在骄，号一侗，又作侗一	明（1578～?）	新安	工书画，尤擅画兰。
汪　关	初名东阳，字杲叔，后更名汪关，改字尹子	明	（娄东）	1614年刻印辑成《宝印斋印式》，另辑有《印式》数种。明代工稳印风第一人。为“娄东派”开创者。
李流芳	字茂宰，又字长蘅，号泡庵，又号檀园，别号慎娱居士	明（1575～1629）	（嘉定）	工书画诗文。著有《檀园集》。
苏　肇		明	新安	
王梦弼	字叔卿	明		辑有《汇姓印苑》。
叶　原		明	新都	
吴可贺	字汝吉	明	新安	1610年辑有《古今印选》。
黄表圣		明	新都	
詹　濂	又名泮，字淑正	明（1549前～1609）		善刻铜印。

续表

姓名	字号	时期	原籍（寓住地）	简　注
朱　鹤	字子鸣，号松邻，一作松龄。	明	（嘉定）	工书画竹刻。
程敬敷		明	新安	善画竹。1608年有《程氏竹印谱》。
吴右丘		明		善刻金银铜印。有《右丘印谱》。
陈　源	六水	明		工画。
汪　泓	字宏度	明末		汪关子。
江万全	字昌符	明末	新安	1629年著有《姓苑印章》。
吴叔考		明末		
范孟嘉	字韵斋，法号自惺	明末	新安	朱简外甥。1636年辑自刻印成《范氏印品》。
汪曼容		明末		
郑彦平		明末		
程云衢	字子通	明末	新安	工书画。1634年刻印辑成《印商》。
程　林	字云来	明末	开封 杭州	工画精医。辑自刻印成《程云来印谱》。
潘茂弘	字元道	明	新都	通印学。1635年著有《印章法》。
江皜臣	字濯之，号汉臣	明末清初		善治玉印。辑刻印成《江皜臣印谱》。
郑基相	字弘佑	明末清初	（南京）	1633年自刻印辑成《郑弘佑印谱》。
程　邃	字穆倩，号垢区、朽民、青溪，别号垢道人、江东布衣	明末清初（1605～1691）	（扬州）	擅诗书画，长于金石考证，富收藏，精医术。“歙四子”之首，“歙派”开创者。
程立伯		明末	新安	善刻玉章。
李弄丸		明末	新安	
刘　生		明末	新安	
徐凤起		明末		徐上达子。
罗公权		明末		
王山子		明末		
黄应乾		明末	新安	工版刻。
方仲芝		明末清初		工牙刻、黄杨刻。
胡文淳	君实	明末清初	新安	著有《胡君实印隽》。

续表

姓名	字号	时期	原籍（寓住地）	简注
吴山	字仁长，一字拳石	清初	黄山	与程邃为亲家。
吴万春	字涵公	清初	黄山	程邃婿。
吴道荣	字尊生	清初	新安（福建）	工诗词书法。
余新民	字四维	清初		擅山水。
黄琯	起溟，孟扶	清初		精字学。
汪镐京	字宗周，号西谷，又号快士	清初（1634～1701）		1683年辑自刻印成《红术轩印存》，1696年著有《红术轩紫泥法》。
程以辛	字万斯	清初		程邃子。
郑旼	字慕倩，号荆蛮民、寓学斋等	清初（1632～1683）		精研理学。工诗善画。著有《拜经斋集》等多种。
程其武	字与绳	清初	（杭州）	程林子。工书画。
程棣	字郁唐，号啬庵，又号梅邬	清		辑自刻印成《望古遥集》。
毕宏述	初名述，字既明，号念园	清	（海盐）	工诗文书画。1720年手写增订闵齐伋原著《六书通》以传。
李希乔	字迁于，号石鹿山人	清		工书画，精竹刻。
吴邦治	鹤关，允康	清（1673～?）	（武汉）	著有《论印》、《论诗》、《论画》、《鹤关诗集》等。
汪士慎	字近人，号巢林、溪东外史、左盲生、天都寄客	清（1686～1759）	（扬州）	工诗书画。“扬州八怪”之一。著有《巢林诗集》。
汪良泽	子震	清		汪镐京子。
吴震生	长公，南村	清（1695～1769）	（海昌）	工画。著有《南村遗集》。
刘弘通	周莲	清		有《集古堂印略》。
余国观	字容若，又字颙若，号竺西、竹西，又号石癫、石痴、吉叟	清	（宛平）	善画兰竹。刻印辑有《石癫印草》。
吴麐	字仁止，又字仁趾	清（1691～1772）	（江都）	工诗。
黄起溟	号白山	清		能文善画，通六书。

续表

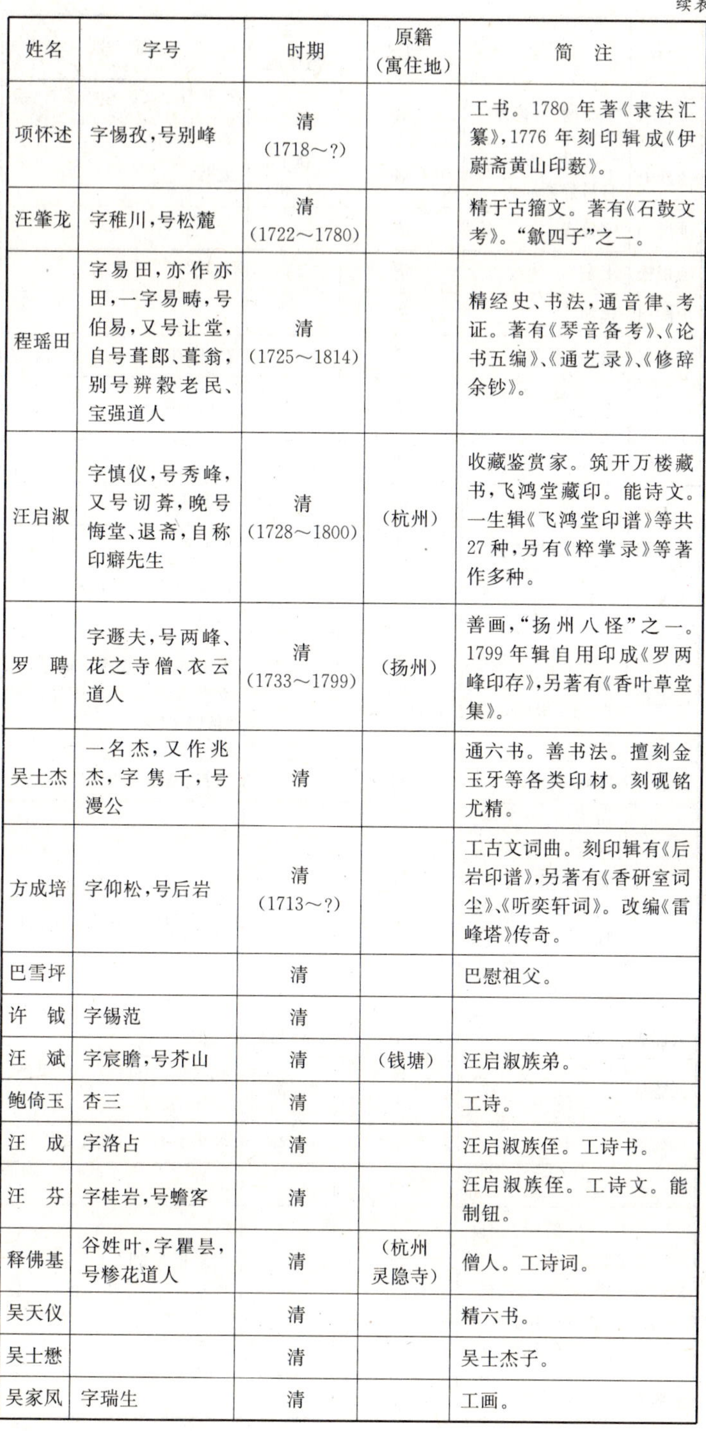

姓名	字号	时期	原籍（寓住地）	简　注
项怀述	字惕孜，号别峰	清（1718～?）		工书。1780年著《隶法汇纂》，1776年刻印辑成《伊蔚斋黄山印薮》。
汪肇龙	字稚川，号松麓	清（1722～1780）		精于古籀文。著有《石鼓文考》。“歙四子”之一。
程瑶田	字易田，亦作亦田，一字易畴，号伯易，又号让堂，自号葺郎、葺翁，别号辨榖老民、宝强道人	清（1725～1814）		精经史、书法，通音律、考证。著有《琴音备考》、《论书五编》、《通艺录》、《修辞余钞》。
汪启淑	字慎仪，号秀峰，又号讱葊，晚号悔堂、退斋，自称印癖先生	清（1728～1800）	（杭州）	收藏鉴赏家。筑开万楼藏书，飞鸿堂藏印。能诗文。一生辑《飞鸿堂印谱》等共27种，另有《粹掌录》等著作多种。
罗　聘	字遯夫，号两峰、花之寺僧、衣云道人	清（1733～1799）	（扬州）	善画，“扬州八怪”之一。1799年辑自用印成《罗两峰印存》，另著有《香叶草堂集》。
吴士杰	一名杰，又作兆杰，字隽千，号漫公	清		通六书。善书法。擅刻金玉牙等各类印材。刻砚铭尤精。
方成培	字仰松，号后岩	清（1713～?）		工古文词曲。刻印辑有《后岩印谱》，另著有《香研室词尘》、《听奕轩词》。改编《雷峰塔》传奇。
巴雪坪		清		巴慰祖父。
许　钺	字锡范	清		
汪　斌	字宸瞻，号芥山	清	（钱塘）	汪启淑族弟。
鲍倚玉	杏三	清		工诗。
汪　成	字洛占	清		汪启淑族侄。工诗书。
汪　芬	字桂岩，号蟾客	清		汪启淑族侄。工诗文。能制钮。
释佛基	谷姓叶，字瞿昙，号糁花道人	清	（杭州灵隐寺）	僧人。工诗词。
吴天仪		清		精六书。
吴士懋		清		吴士杰子。
吴家凤	字瑞生	清		工画。

续表

姓名	字号	时期	原籍 （寓住地）	简注
张钧	字右衡，号镜潭	清		工摹石鼓文。刻印辑有《镜潭印赏》。
金嘉玉	字汝成，号静斋，自号静斋居士	清	新宁 （仁和）	工书。
项道玮	字鲁青	清		
项根松	上章	清		
项绥祖	藕湄	清		
项泰增	松谷，瞻岩	清		有《松谷印遗》。
黄吕	字次黄，又字克吕，号凤六山人	清		工诗书画。
汪贡廷	梅影	清		
黄宗绎	字仲凫	清		工书法。
黄埙	字振武，号丙塘	清	（杭州）	工书画。
毕星海	字昆源，号昆圃，又号古愚	清 （1740～1801）	（海盐）	善文工书。著有《六书通摭遗》。
巴慰祖	字予藉，又字子安、隽堂，号晋堂、鱼棏，又号莲舫	清 （1744～1793）		工书画。好收藏。辑有《四香堂印余》、《百寿图印谱》。“歙四子”之一。
仰嘉祥	仲猷，谷仙	清		著有《摹印要诀》。
奚冈	初名钢，字纯章，号铁生，又号萝龛、蒙泉、老蒙，别署寉渚生、蝶野子、蒙泉外史、奚道士、散木居士	清 （1746～1803）	（杭州）	工诗书画。“西泠四家”之一。著有《冬花庵烬余稿》。
吴仰唐	凤初	清	（扬州）	
江德量	字量殊，又字成嘉，号秋史	清 （1752～1793）	（江都）	擅古文。好收藏。工书画。著有《泉志》。
江德地	字墨君	清	（江都）	善文工书。江德量弟。
郑来	朋集，松莲	清		工书。
胡唐	又名长庚，字咏陶，又字子西、西甫、寿客，号樗园、宰翁，别署木雁居士、城东居士	清 （1759～1826后）		巴慰祖外甥。工诗书。印作收入《还香楼印谱》。“歙四子”之一。
徐履安		清		

续表

姓名	字号	时期	原籍（寓住地）	简注
巴树谷	字孟嘉，又字辛祈，号艺之	清（1767～1800）		巴慰祖子。善书法。精音律。著作颇丰。印作收入《还香楼印谱》。
巴光荣	小孟	清		巴树谷子。
陈思圣		清	新安	著有《印草集稿》。
程恩泽	字云芬，号春海	清		工书。精金石书画考订。著有《国策地名考》20卷等。
鲍振康	既勤，寄琴	清		
巴树烜	字煦斋	清		巴慰祖子。印作收入《还香楼印谱》。
程庭鹭	字序伯，号蘅乡，别署公之翱、红蘅生、忘牧学人等	清（1796～1858）	（嘉定）	工词善画，亦工刻竹。辑自刻印成《小松圆阁印存》、《红蘅馆印谱》，另著有《红蘅词》等多种。
江　汉	字濯之	清		善治玉印。
汪思源	沂川，素翁	清		
汪道存	字芸松，又字翊良，号秋帆	清		汪启淑子。1800年辑自藏明清印成《梅花楼印存》。
汪如椿	寿生	清		
吴文征	字南芗	清	（吴下）	工诗书画。
张　淦		清		有《宝墨斋印略》。
王　声	字于天，号寓恬	清（1799～1865）	徽州	能刻极小印。
郑基太		清		有《拙吾斋印赏》。
李有兆	字芝庭	清（1798～?）		1825年刻印辑有《具茨山房印稿》。工书画。
张立夫		清		
鲍　康	字子年	清（1810～?）		精鉴古钱。著有《观古阁泉说》。与李佐贤合撰《续泉汇》。
张振之		清		张立夫子。承父业。
许文兴	字松谷	清		印学家。1828年辑有《学印联珠》，内存《苍涵阁印存》。
许延祚（女）	字因姜	清	（德清嫁歙县）	擅书画琴。

续表

姓名	字号	时期	原籍（寓住地）	简注
程德椿	字受言，号寿岩	清		精六书。擅铸凿铜印。1848年辑有《寿岩印草》，另辑有《十友斋印赏》、《四执园印林》、《述古堂印谱》。
江士珏	字荔田，号天都山人	清		善琴鼓。能作擘窠书。精刻石。
江星羽	字若轸	清		刻印辑有《游艺集》。
江造舟	字仲浆，号澹寻居士	清		著有《印归》。
江　源	字豫堂，号修水	清	（松江）	精医善琴。
吴日法	字审度	清		
吴肃云	字竹荪，号盟鸥	清		工山水。
吴德培	莼浦	清		
汪廷桂	字古香	清		工书法。
汪佩玉	字韫辉	清		工篆隶。
汪　枚	字卜参	清	天都	
余　楙	字松楙	清	新安（仁和）	精医理。著有《续三十五举》、《铁笔十三法》。
张叔治	字葆生，号涧谷	清		
程鸿渐	字为仪	清	新安	著有《印苑》。
叶熙锟	字匀生	清		精医。辑有《说剑庵印存》、《学汉印存》。
叶伯武		清		叶熙锟子。工词翰。
叶　瀚	字北溟	清		工画善琴。
郑　浚	字禹卿	清	新安	
鲍　蘅	字逸农	清		工小篆。富收藏。
曹应钟	念生，耳山	清		有《九千三百五十三字斋印谱》。
谢黄山		清	新安	善刻晶玉。
吴珍锡	字子轩	清	新安	工六书。善医术。1848年辑自刻印成《研玉镂金》。
洪石田		清	（居黄山）	道士。
曹　鼎	字石亭	清		工书画。

续表

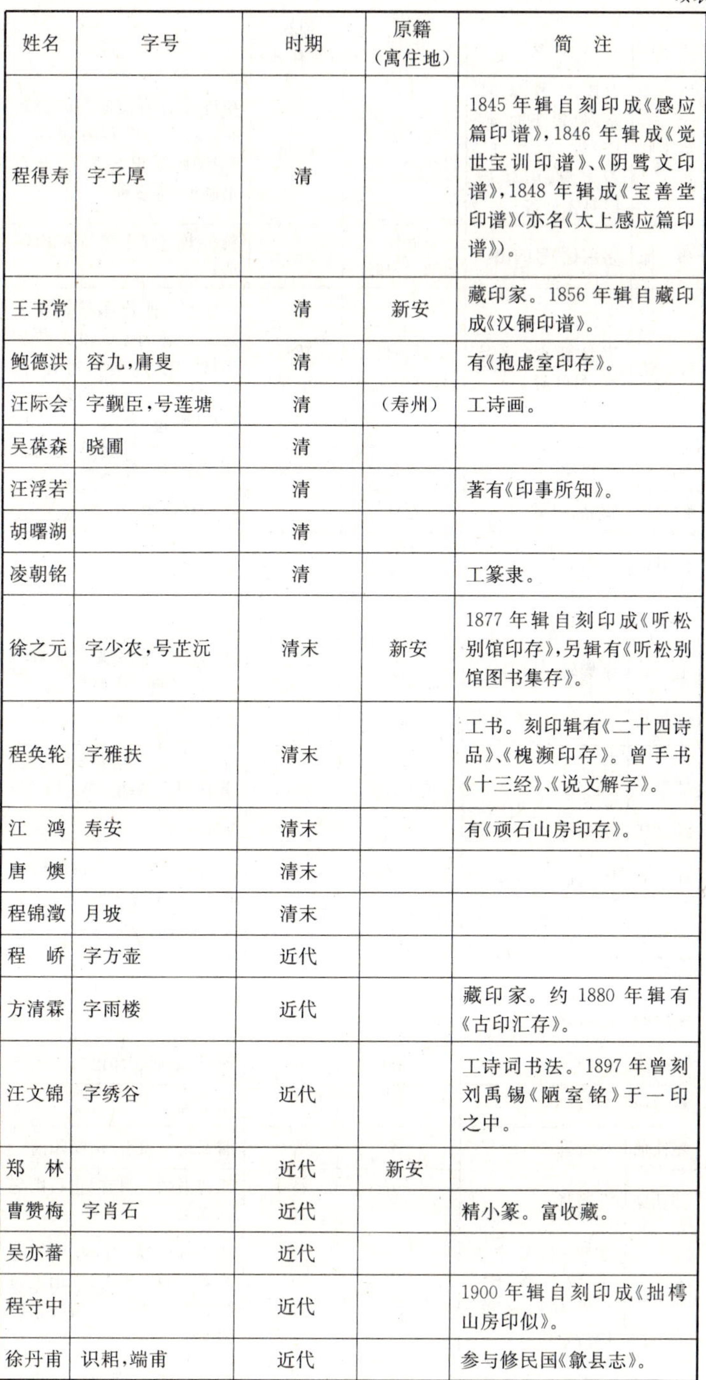

姓名	字号	时期	原籍（寓住地）	简注
程得寿	字子厚	清		1845年辑自刻印成《感应篇印谱》，1846年辑成《觉世宝训印谱》、《阴骘文印谱》，1848年辑成《宝善堂印谱》（亦名《太上感应篇印谱》）。
王书常		清	新安	藏印家。1856年辑自藏印成《汉铜印谱》。
鲍德洪	容九，庸叟	清		有《抱虚室印存》。
汪际会	字觐臣，号莲塘	清	（寿州）	工诗画。
吴葆森	晓圃	清		
汪浮若		清		著有《印事所知》。
胡曙湖		清		
凌朝铭		清		工篆隶。
徐之元	字少农，号芷沅	清末	新安	1877年辑自刻印成《听松别馆印存》，另辑有《听松别馆图书集存》。
程奂轮	字雅扶	清末		工书。刻印辑有《二十四诗品》、《槐濒印存》。曾手书《十三经》、《说文解字》。
江　鸿	寿安	清末		有《顽石山房印存》。
唐　燠		清末		
程锦澂	月坡	清末		
程　峤	字方壶	近代		
方清霖	字雨楼	近代		藏印家。约1880年辑有《古印汇存》。
汪文锦	字绣谷	近代		工诗词书法。1897年曾刻刘禹锡《陋室铭》于一印之中。
郑　林		近代	新安	
曹赞梅	字肖石	近代		精小篆。富收藏。
吴亦蕃		近代		
程守中		近代		1900年辑自刻印成《拙樗山房印似》。
徐丹甫	识粗，端甫	近代		参与修民国《歙县志》。

续表

姓名	字号	时期	原籍（寓住地）	简 注
黄宾虹	名质，字朴存、朴丞，曾署予向、虹庐、虹叟、大千、石工叟，中年后以号宾虹行	近现当代（1865～1955）	杭州	精诗文书画及鉴赏。著辑有《滨虹草堂藏古玺印》、《中国画学史大纲》、《金石书画论》等多种。
郑 沛	字雨仁，号问山	近代（1866～1918）		精医书，有《十琴轩黄山印册》。
叶 铭	字盘新，又字品三，号叶舟	近现代（1867～1948）	徽州（杭州）	印学家。西泠印社创立人之一。著有《广印人传》、《再续印人小传》，辑有《松石庐印汇》、《列仙印玩》、《遁庵遗迹》等。
方文隽	字啸琴	近代	新安	工书精鉴。好收藏。
鲍增祥	绍庭，云巢	近代		工诗词绘画。
程用宾	字书五	近代（1878～？）	东台	精行楷。
黟县：				
王 毂	字槃聆，号东莲	清		工书法。精鉴赏。所刻印收入《飞鸿堂印谱》。
孙茂芳	芷青	清		
程嘉木	理祥	清		工诗书画。精地理术数。著有《大六壬集》等。
孙克述	字汝明	清		究心六书。
汪士通	字宇亨，号东湖	清		工诗文书画。著有《陶诗宗派》、《东湖诗文集》等。
汪联松	枢文，璞斋	清		有《璞斋印谱》。
汪文适		清		
朱树秀	松亭，赘农	清		
胡宗姚	松舫	清		有《松舫居士印谱》。
程鸿业		清		工书画。
鲍桂孙	字古香	清		善篆隶。辑有《仿汉印谱》。
孙廷冕	字冠贤	清		工诗书画。辑有《止石山房印谱》。
黄士陵	字牧甫，又作穆甫、穆父，晚年别号黟山人、倦叟、倦游窠主	清（1849～1908后）		工书画。“黟山（粤）派”开创者。后人辑有《黟山人黄牧甫先生印存》、《黄牧甫印存》等。
汪 馨	字谷生，号伯吾	清		辑摹印成《国朝名人印谱》。

续表

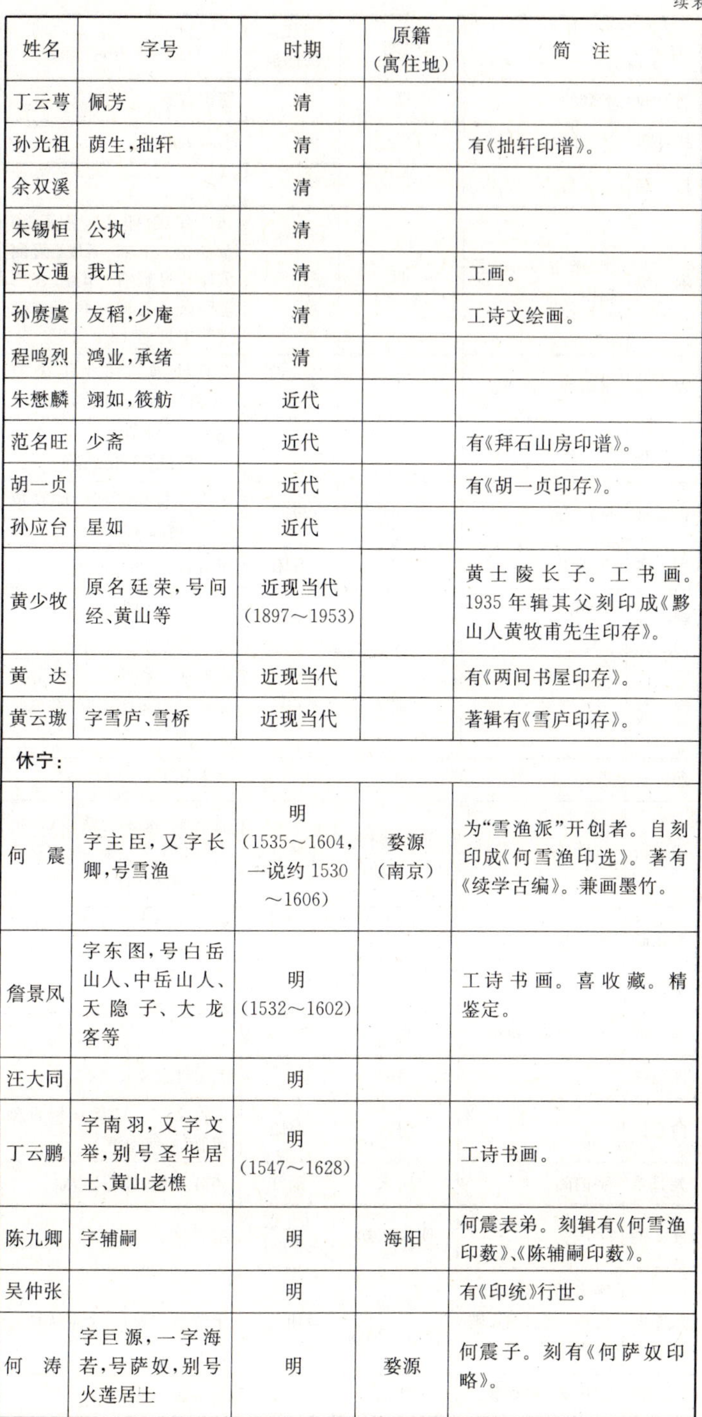

姓名	字号	时期	原籍（寓住地）	简　注
丁云蕚	佩芳	清		
孙光祖	荫生，拙轩	清		有《拙轩印谱》。
余双溪		清		
朱锡恒	公执	清		
汪文通	我庄	清		工画。
孙赓虞	友稻，少庵	清		工诗文绘画。
程鸣烈	鸿业，承绪	清		
朱懋麟	翊如，筱舫	近代		
范名旺	少斋	近代		有《拜石山房印谱》。
胡一贞		近代		有《胡一贞印存》。
孙应台	星如	近代		
黄少牧	原名廷荣，号问经、黄山等	近现当代（1897～1953）		黄士陵长子。工书画。1935年辑其父刻印成《黟山人黄牧甫先生印存》。
黄　达		近现当代		有《两间书屋印存》。
黄云璈	字雪庐、雪桥	近现当代		著辑有《雪庐印存》。
休宁：				
何　震	字主臣，又字长卿，号雪渔	明（1535～1604，一说约1530～1606）	婺源（南京）	为“雪渔派”开创者。自刻印成《何雪渔印选》。著有《续学古编》。兼画墨竹。
詹景凤	字东图，号白岳山人、中岳山人、天隐子、大龙客等	明（1532～1602）		工诗书画。喜收藏。精鉴定。
汪大同		明		
丁云鹏	字南羽，又字文举，别号圣华居士、黄山老樵	明（1547～1628）		工诗书画。
陈九卿	字辅嗣	明	海阳	何震表弟。刻辑有《何雪渔印薮》、《陈辅嗣印薮》。
吴仲张		明		有《印统》行世。
何　涛	字巨源，一字海若，号萨奴，别号火莲居士	明	婺源	何震子。刻有《何萨奴印略》。

续表

姓名	字号	时期	原籍（寓住地）	简注
刘卫卿	字梦仙	明		博识古篆。
赵时朗	字天醉	明		书画入妙品。
赵端	字又吕	明		
朱简	字修能，一字畸臣	明		1611年成《印品》，又著《印章要论》，1625年成《菌阁藏印》，另辑有《印经》、《修能印谱》，又辑有我国首部缪篆工具书《印书》。
程大宪	字敬数，号为尼	明		工诗书画。1608年著有《雪斋竹谱》、《程氏印谱》。
金光先	字一甫	明		1612年刊有《金一甫印选》，另撰有《印章论》。
程基	字仲之	明	海阳	1612年将摹刻何震印辑成《何雪渔先生印证》。
程齐	字圣卿	明	海阳	辑有《嵇古斋印鉴》。
程原	字孟长，一字六水	明	（吴兴）	
程朴	字元素	明	（吴兴）	程原子。程氏父子于1626年摹刻何震印拓成《忍草堂印选》。
詹吉	吉人	明		工书画。
胡正言	字曰从	明末清初（1584～1674）	（南京）	通书画、医术。精于版刻。十竹斋主人。辑有《印薮》、《印史初集》等。
吴正旸	字午叔	明末（1593～1624）		刻《印可》2卷，1625年由其侄成书。
吴泰和		明末		
汪如	字无波，号桐皐	明末		
汪以滂		明末		尤工钟鼎文。
俞百何		明末	海阳	工古文字。1632年辑自刻印成《百何图章》。
吴日章	字伯阁	明末	浙江	1634年辑《翰苑印林》。
汪炳	字虎文	明末清初	（北京杭州）	工书。
戴本孝	字务旃，号鹰阿山樵、前休子、破琴老生	清初（1621～1693）	（和县）	工诗画。著有《余生诗稿》。
汪涛	字山来，号梦龙	清初		工书法。

续表

姓名	字号	时期	原籍（寓住地）	简注
王言	字纶紫，又作纶子	清初		工书法。
王之元	体斋，慢翁	清初		
胡其孝	字全子	清初		
吴骞	字槎客，号揆礼，又作葵里等	清（1733～1813）	（海宁）	工诗词绘画。富收藏。著有《论印绝句续编》等多种。
吴晋	字进之，号曰三、曰山，别号目山	清	（娄县）	工书画。精研小学。辑有《知止草堂印存》。
吴绂	号枫斋	清	海阳	1788年辑自刻印成《吟香阁印谱》。
陈森年	字茂庭，号或轩	清		1786年辑有《四本堂印谱》。
戴启伟	字士奇，号友石	清		1778年辑有《啸月楼印赏》。
戴厚光	字滋德，号花痴	清		工诗画。辑有《花痴印镜》。著有《江湖塍集》。
吴志鸿	沁可	清		
邵士燮	字友园，号范村，又号桑枣园丁	清	（芜湖）	工诗书画。
汪谷	字琴田，号心农	清（1754～1821）	海阳（苏州）	工书画。精鉴赏。富收藏。其子辑其藏印成《汉铜印谱》。
程鸿绪	字芑堂，号石琴	清（1756～1814）		辑有《浣月斋印谱》。
胡之光	字曜三，号蓉镜	清	海阳	辑自刻印成《桐冈草堂印稿》。
胡雪亭		清	海阳	
汪鸿	字延年，又字长年，号小迂	清		工画。能吹箫。善修古琴。
邵麟	有圃，香桥	清		
汪维堂		清		著有《摹印秘论》。
朱为弼	右甫，椒堂	清	（平湖）	辑有《锄经堂集古印谱》。
朱承经		清		
朱霞	隐仙	清		有《古稀再度寿印》等。
许延礽（女）	字云林	清	（德清嫁休宁）	善琴棋书画。著有《福连室集》。

续表

姓名	字号	时期	原籍（寓住地）	简注
程芝云		清		程鸿绪长子。1817年曾重刊其外祖项怀述《伊蔚斋黄山印薮》。1847年又辑项怀述刻印成《伊蔚斋印谱》。
程芝华	字萝裳，号小石	清		程鸿绪次子。1801年著《程芝华印谱》，1824年著《古蜗篆居印述》。
黄珏	孝侯	清		
李允泉	字云卿，号伯涛	清		收藏旧拓善本碑帖甚多。
程文在	字郁卿	清		工绘画。善刻竹。
程林	字云来，号静观居士	清		精医术。工文学书画。1673年编成《金匮要略直解》3卷，1677年著《伤寒论集》，另著《难经注疏》、《既行方》等，并校订《玉函经》3卷。
黄霖泽	字笠芗	近现代（1851～1923）	海阳（潮州）	藏印家。工书画。1895年辑自藏印成《铭雀砚斋印存》。
金桂科	字小琴，一作啸琴	近代		工书画。1881年辑自刻印成《小竹里山馆印存》。
戴德瑞	奏新	近代		辑有《奏新印存》。
祁门：				
胡佩芳	字诵芬，号云舲	清（1802～1858）		擅文章。著有《绿荫轩诗赋文稿》6卷。
谢荣光	字信川	清		工诗书。著有《旸谷遗稿》。
胡廷瑞	字朗轩	清（1823～?）		工书画。胡佩芳子。
马锡智	字若愚，号老渔	近代		工画。曾以一百二十石刊朱子家训。
绩溪：				
胡世清		明末清初		
胡大发	以让	清		工诗书。
方竹	字瞻绿，号白山	清		工诗书画。著有《抱山集》、《汲古斋文集》、《庄子闲评》等。
程份		清		辑有《红蕉馆编年印谱》。

续表

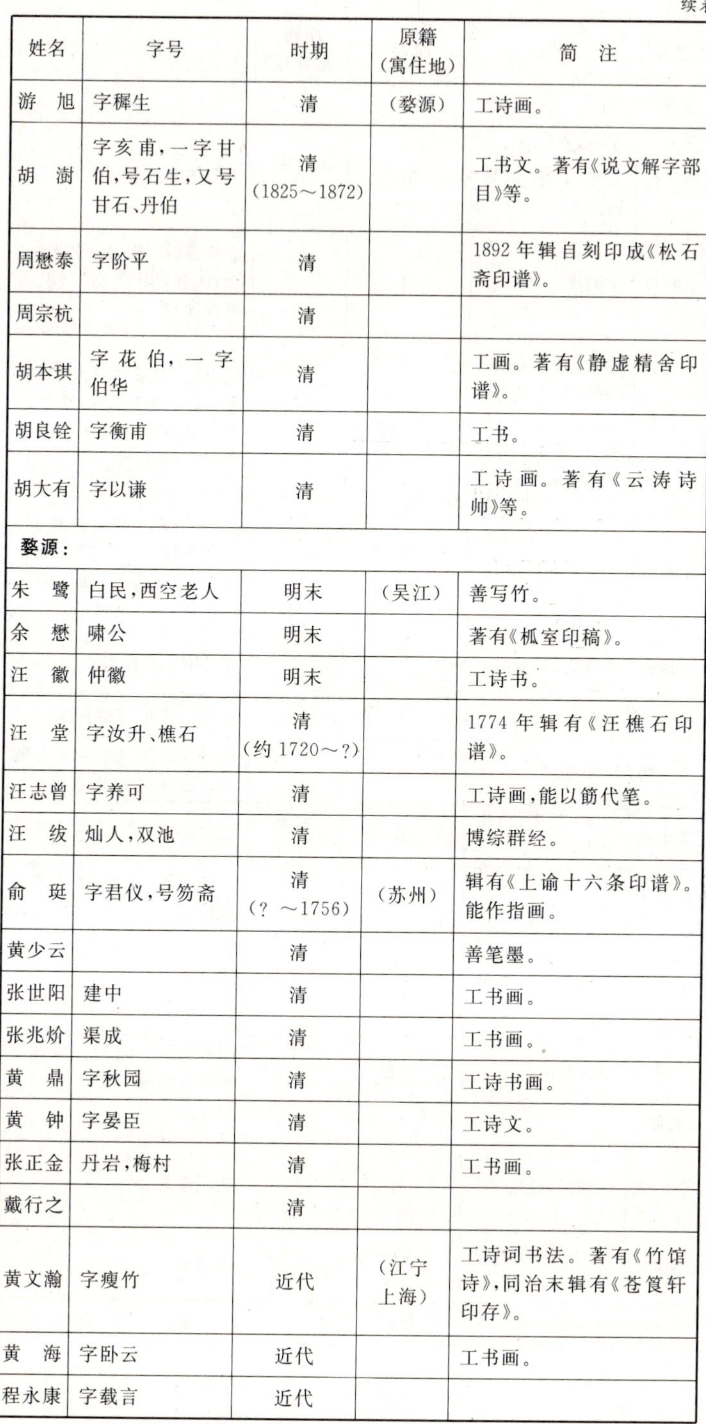

姓名	字号	时期	原籍 （寓住地）	简　注
游　旭	字穉生	清	（婺源）	工诗画。
胡　澍	字亥甫，一字甘伯，号石生，又号甘石、丹伯	清 (1825～1872)		工书文。著有《说文解字部目》等。
周懋泰	字阶平	清		1892年辑自刻印成《松石斋印谱》。
周宗杭		清		
胡本琪	字花伯，一字伯华	清		工画。著有《静虚精舍印谱》。
胡良铨	字衡甫	清		工书。
胡大有	字以谦	清		工诗画。著有《云涛诗帅》等。
婺源：				
朱　鹭	白民，西空老人	明末	（吴江）	善写竹。
余　懋	啸公	明末		著有《柧室印稿》。
汪　徽	仲徽	明末		工诗书。
汪　堂	字汝升、樵石	清 （约1720～?）		1774年辑有《汪樵石印谱》。
汪志曾	字养可	清		工诗画，能以筯代笔。
汪　绂	灿人，双池	清		博综群经。
俞　珽	字君仪，号笏斋	清 （? ～1756）	（苏州）	辑有《上谕十六条印谱》。能作指画。
黄少云		清		善笔墨。
张世阳	建中	清		工书画。
张兆炌	渠成	清		工书画。
黄　鼎	字秋园	清		工诗书画。
黄　钟	字晏臣	清		工诗文。
张正金	丹岩，梅村	清		工书画。
戴行之		清		
黄文瀚	字瘦竹	近代	（江宁 上海）	工诗词书法。著有《竹馆诗》，同治末辑有《苍筤轩印存》。
黄　海	字卧云	近代		工书画。
程永康	字载言	近代		

续表

姓名	字号	时期	原籍（寓住地）	简注
怀宁：				
邓一枝	字宗两，号兆林，又号木斋，别号迴道人	清		工四体书。邓石如父。
余鹏年	字伯扶	清		能诗善画。刺击有名于时。著有《曹州牡丹谱》、《枳六斋诗抄》等。
邓石如	原名琰，字石如，号完白、古浣子、完白山人、龙山樵长、凤水渔长、笈游道人等	清（1743～1805）		精书法。"邓（皖）派"开创者。后人辑其刻印成《完白山人篆刻偶存》、《邓印存真》等多种行世。
余鹏翀	字少云，号月村	清（1755～1784）		工诗古文。善词曲绘画。参与编修《一统志》。著有《息六斋遗稿》、《韩文公集编年考》等。余鹏年弟。
邓传密	字守之，号少白	清（1795～1870）		工诗书。邓石如子。
程　荃	字蘅衫	清		工画。著有《篆隐园集》。
方　朔	字小东	清		善骈文。工书法，尤工微书。著有《诗集》8卷等。
文士英	建先，及先，白华老人	清	金陵 舒州	工书画。
蒋生芝	钟玉	清		工诗书画。著有《狮岭草堂诗稿》。
姜　筠	字颖生，号宜轩、宜翁，别号大雄山民	近代（1847～1919）		工书画。
潘强斋	号天马山人	近代		著有《强斋印谱》。邓石如为其外高祖。
合肥：				
王元登	字啸门，号蕉雪	清		善画多艺。
蔡家瑜	号石瓢，别号铁鞋道人	清		工诗画。
樊曙江	号东溪老渔	清		工书画。
宋　崖	字启祥	清（？～1770）		工诗画。

续表

姓名	字号	时期	原籍（寓住地）	简注
靳理纯	字健伯，一字键白，别号小岘山人	清末		工书。
靳润云	字少伯	近代		工书。靳理纯子。
李经畬	字伯雄，号希吕，又号新吾、谲洲	近代（1857～?）	（北京）	1885年辑有《希吕印存》，另辑有《合肥李勤恪公政书》。李鸿章侄。
沈慧（女）	字季光，又字叔光	近代		
龚心钊	字怀熙，又作怀西，怀希，号瞻麓、景张	近代		藏书家、藏印家。通小学。1893年辑有《瞻麓斋古印征》。
附：徽皖籍3人				
苏晓	字东白	明末清初		1636年与黄宸辑自刻印成《酣古集》。
韦布	字晴帆	清		工画。
方梅垞	一作章梅垞	清	皖江	1862年辑自刻印成《实事求是斋印谱》。
芜湖：				
肖云从	字尺木，又字默思，号无闷道人，晚号钟山老人	明末清初（1596～1673）		画坛大家。工诗。后人集其诗刊于《一斋集中》。
王夔	字理堂，号小山	清		刻印辑有《理堂印谱》。
诸葛祚	字永年，一作子伦	清（1736～1795）		能炼铜炼钢自镌印，技不传外家人。
诸葛禧		清		同诸葛祚。
诸葛恭		清		同上。
诸葛宽		清		同上。
诸葛柱		清		同上。
诸葛纪		清		同上。
黄钺	一名左君，字左田	清（1750～1841）		工诗文书画。精鉴别。著有《画有录》等多种。
王泽	字润生，号子卿，又号韵庵	清（1759～1842）		工诗文书画。著有《观斋集》、《韵庵印草》。

续表

姓名	字号	时期	原籍（寓住地）	简注
南陵：				
徐乃昌	字积余，号随庵	近代（1868～1937）		藏书家。1900年辑有《徐乃昌集封泥册》，另著有《安徽通志金石古物考稿》等多种。
庐江：				
赵子贤		清		精刻竹木。擅剪纸。
吴保初	字彦复，号君遂，晚号瘿公等	近代（1869～1913）	（上海）	工诗文书法。著有《未焚草》、《北山楼集》、《瘿庐藏泉》。
无为：				
崔士淦	字韵泉	清		工书画。著有《印液谱》。
巢县：				
罗　科	持盈	清		工书画。精金石之学。
广德：				
丁日新	字又新	明末	绥安	1643年著有《宝籀斋文玉》。
吴文铸	字子襄	近代	德州（嘉兴）	工书画。
宣城：				
冯广端	字昭玉	清初		有《竹韵轩印证》。
吴　宁	字不移	清初		
汤　铭	号警斋	清	宛陵	刻印辑成《三星赞印谱》。
施念曾	德仍，蘖斋，竹窗	清		工诗书画。通天文历算。
泾县：				
包世臣	字诚伯，号慎伯，晚号倦翁	清（1775～1855）		工书。著有《艺舟双楫》等。
翟潢生	字容清，自号岸舫	清		工诗书。究六书。著有《岸舫诗钞》，辑有《语古堂印存》。
翟赏祖	号懋斋	清		翟潢生子。
吴捧纶	字宾门	清		著有《印证》。
朱　鲲	字砚涛，又字念陶、少鸿，号剑泉，别号借园	近代（1868～?）		藏印家。1906年辑自藏印成《亦爱庐印存》。

续表

姓名	字号	时期	原籍（寓住地）	简 注
宁国：				
刘太宪	字用章	明	太平	工书画。
周 赟	字子美、山门	清（1835～1911）		工书画。精音律。著有《周氏琴律切音》4 卷、《山门新语》、《史学骊珠》等多种。
旌德：				
刘光旸	字雨若	清初		精鉴赏。镌刻有《快雪堂法帖》、《翰香馆法帖》。
刘玉标		清		刘光旸族子。
朱长春		清		工诗画。
刘润泽	字及山	近代	旌阳	1870 年辑自刻印成《刘及山印存》，又辑自刻印成《滕王阁序印谱》。
桐城：				
方以智	字密之，号曼公，又号无可、弘智、浮山愚者	明末清初（1611～1671）		思想家、科学家、印学家。工诗文书画。深究物理。著有《印章考》、《物理小识》等多种。
方其义	字直之	明末清初		工诗书。方以智弟。
何延年	字大春	清初	（南京）	工书画。
张 敔	字虎人，号芷园、木香等	清	（江宁）	工诗书画。能左笔与指画。
张 纯	字吾未，别号苦竹山人	清		善琢砚。
姚元之	字伯昂，号荐青、竹叶亭生、五不翁	清（1773～1852）		工书画。著有《竹叶亭杂记》10 卷行于世。
方若徽（女）	字仲惠、仲蕙、仲愚	清		工诗画。擅琴。1820 年辑自刻印成《闲云阁印谱》，又著有《闲云阁诗钞》。
吴廷康	字康甫，号符生、晋斋	清（1799～1873）		工书画刻竹。喜藏砖。精考据。辑有《问礼盦古今印存》、《慕陶轩古砖录》等。
方云施	字彦博	清		
方云聃	字东来	清		
魏阆臣	号又虞	清		工紫檀、黄杨印。
方德醇	字剑潭	近代（？～1865）		工诗词。

续表

姓名	字号	时期	原籍（寓住地）	简　注
方　骐	枚五，垌野	清		工诗画。著有《垌野诗钞》。
姚京受	巨农，书园	清		工书画。有《书园印存》。
孙长泰	字兰子，号琴秋，别号琴隐	近代		工诗书画琴。
王　瓘	字孝玉，又字孝禹	近代（1847～1913）	重庆	工书画。精鉴别。富收藏。1898年辑有《赏古斋秦汉印存》。
张祖翼	字逖先，号磊庵	近代（1849～1917）		工书画。好收藏。西泠印社早期社员。辑有《张逖先刻印》等。
吴祥麟	字石佀，号玉侯	近代		工隶书。1888年辑有《桔笏仙馆印谱》。
张　巽	字文伯，号退翁，别署龙眠山人等	近现当代（1876～1960）	（襄阳）	工诗书。精文字学。刻印辑有《葆静斋印存》。
姚宜孔	字石泉，又字石倩、石青，号渴斋	近现代（1877～?）		1920年辑自刻印成《渴斋印存》。
宿松：				
张灿枢	名树人，号斗槎，别号小颠山房	清（1860～1895）		工书画。著有《尚书古文篇第考》、《韵钮便蒙》、《小颠山房诗文集》等书稿。
张际阒	字琼芳，号香山，别号率真子，又号半古之人	清		工诗书。著有《课吾录》、《香九诗文集》、《直植录》。
潜山：				
陈　延	字遐伯	明末清初	安庆（鸠兹）	工书画。著有《孤竹斋集》。
全椒：				
王　城	字小鹤	清		
江　申	字自庵	清		
汪宝荣	字小盦	清		
定远：				
方濬益	字子聪，一作子听，号伯裕、谦受	清末（? ～1899）		工书画。富收藏。著有《吉金录》、《缀遗斋彝器款识考释》。
太湖：				
鲁一贞	字亮济	清		工书法。著有《玉燕楼书法》，附刻印法。

姓名	字号	时期	原籍（寓住地）	简 注
凤阳：				
朱 耷	谱名统鏊，号八大山人	清（1626～1705）		大画家。精诗书画。
李宗白		清		工书画。
孙 容	萝峰	清		工画。
凤台：				
梁冠英	振甫，青山	清		工书画。
天长：				
王贞仪（女）	字德卿，号金陵女史、江宁女史	清（1768～1797）	（江宁）	工诗词文赋绘画。于天文地理医学等皆有成就。
宣 鼎	字子九，号瘦梅、素梅等	清（1832～1880）		工书画。曾撰《夜雨秋灯录》等多种。
池州：				
吴应箎	字山宾，号涩斋，后名非	明末	贵池	工书画。著有《三唐编年》、《二十一史异同考》。
姚 济	字石航	清末（1833～?）	贵池	1869年辑自刻印成《樵云山房印存》。
石台：				
徐士恺	字寿安，又字子静	清末（1844～1903）	石埭	精鉴别。好金石。刻有《观自得斋丛书》。辑有《观自得斋秦汉官补铜印集》等多种。
霍邱：				
李 攀		清		工书画。
赵宜兰	香月	清		工画。
寿县：				
薛 鸿	字翥江	清（? ～1861）		工书画。
张 暹	字东渐	清		工诗文绘画。
张 佩	字鸣珂	清		工诗书。精于考订金石文字。
王 铮	虚舟	清	寿州	工书画。精于老竹根刻印。
张树侯	名之屏	近现代（1866～1935）		工诗词歌赋书画。善石刻。著有《书法真诠》、《淮南耆旧小传》、《树侯印存》等。
和县：				
严 恪	字髣石	清	和州	擅琴。好游览。

续表

姓名	字号	时期	原籍（寓住地）	简注
六安：				
洪　寻	字味须	清	（流寓六安）	能诗画。著有《指香亭集》。
王近仁	字力行，号问樵	清		工诗文书画刻竹。著有《印谱》行世。
程汝篗	字名洽	清		工诗书。通六书、钟鼎。
当涂：				
周元璐	字宝臣	清		工书画。
陈　樵	字山民，号方塘	清		工诗书画。
唐金玉	字湘帆	清		工诗画。存有《棣华吟馆残稿》。
祝　昭	字亮臣	近代		工诗书画琴。
太和：				
李曙瀛	烟溪	清		工指画。兼众技。

注：①“简表”资料来源于参考文献。

②“原籍”栏根据不同文献据实录出。

主要参考文献

唐兰:《中国文字学》,上海古籍出版社,1979。

徐畅:《先秦玺印》,北京:荣宝斋出版社,2003。

曹锦炎:《古玺通论》,上海书画出版社,1996。

黄惇等编著:《书法篆刻》,北京:高等教育出版社,1998。

梁白泉主编:《国宝大观》,上海文化出版社,1992。

陈松长:《玺印鉴赏》,桂林:漓江出版社,1994。

马承源主编:《中国青铜器》,上海古籍出版社,1996。

罗福颐:《古玺印概论》,《古玺汇编》,《古玺文编》,北京:文物出版社,1981,1994,1998。

王伯敏:《古肖形印臆释》,上海书画出版社,1983。

潘伯鹰:《中国书法简论》,上海人民美术出版社,1981。

赵海明编著:《印章边款艺术》,北京:文物出版社,2005。

许慎:《说文解字》,北京:中华书局,1985。

洪丕谟选注:《历代题画诗选注》,上海书画出版社,1984。

周晓陆:《元押》,南京:江苏美术出版社,2001。

方去疾:《明清篆刻流派印谱》,上海书画出版社,1980。

段玉裁:《说文解字注》,上海古籍出版社,1981。

马克思:《1844 年经济学哲学手稿》,北京:人民出版社,1979。

张海鹏等主编:《安徽文化史》(上、中、下),南京大学出版社,2000。

韩天衡编订:《历代印学论文选》(上、下),杭州:西泠印社出版社,1999。

郁重今编纂:《历代印谱序跋汇编》,杭州:西泠印社出版社,2008。

《历代书法论文选》(上、下),上海书画出版社,1979。

《徽州文化全书》,合肥:安徽人民出版社,2005。

杜迺松:《在皖鉴定所见青铜器》,载《青铜文化研究》第1辑,合肥:黄山书社,1999。

黄盛璋:《中国文明时代青铜时代形成的地域和年代的综合研究》,载《青铜文化研究》第2辑,合肥:黄山书社,2001。

庄新兴:《试论文人篆刻的崛起和发展》,《中国书法》,1992(2)。

张郁明:《高凤翰和他的篆刻艺术》,《中国书法》,1996(3)。

薛永年:《清代篆刻刍议》,《中国书法》,2000(9)。

徐义华:《略论文字的起源》,《中国书法》,2001(2)。

韩天衡:《千年回眸话篆刻》,《中国书法》,2001(9)。

刘墨:《〈广艺舟双辑〉的理论基础及其历史效应》,《中国书法》,2005(7)。

黄惇:《关于明清徽籍印人的流派问题》,《书法》,1989(1)。

言公达:《反映时代 感恩生活 繁荣创作——“当代篆刻艺术大展”评审和研讨有感》,《书法》,2007(8)。

陈茗屋:《黄牧甫事迹初探》,《书法研究》,总第20辑。

王玉龙:《关于明清印学兴盛的几个问题——“明清篆刻流派评述”第一章》,《书法研究》,总第40辑。

张郁明:《明代徽籍印人之归属及徽宗流派体系考辨》,《书法研究》,总第85辑。

陈道义:《论明代文人篆刻兴盛的文化背景》,《书法研究》,总第118辑。

王玉龙:《黄士陵年表简编》,《中国篆刻》,1995(3)。

陶均:《“新概念”篆刻展走笔》,《中国篆刻》,1996(3)。

萧高洪:《何震的地位》,《中国篆刻》,1997(1)。

李彤:《各臻其美 一时瑜亮——黄牧甫与吴昌硕篆刻艺术比较研究》,《书法之友》,1997(3)。

朱培尔:《试论清代中叶篆刻艺术崛起的标志》(上、下),《中国篆刻》,1997(1),(2)。

西泠印社出版社编:《明清徽州篆刻学术研讨会论文集》,杭州:西泠印社出版社,2008。

杨屹主编:《墨海探珠》,合肥:安徽大学出版社,2008。

宁树藩著:《宁树藩文集》,汕头大学出版社,2004。

戎毓明主编:《安徽人物大辞典》,北京:团结出版社,1992。

韩天衡主编:《中国篆刻大辞典》,上海辞书出版社,2003。

《安徽画家汇编》,合肥:安徽省博物馆编,1979。

黄惇:《中国古代印论史》,上海书画出版社,1994。

翦伯赞:《中国史纲要》(增订本),北京大学出版社,2006。

谭其骧主编:《简明中国历史地图集》,北京:中国地图出版社,1996。

叶树声,余敏辉:《明清江南私人刻书史略》,合肥:安徽大学出版社,2000。

沙孟海:《印学史》,杭州:西泠印社出版社,1987。

刘江:《中国印章艺术史》(上、下),杭州:西泠印社出版社,2005。

刘江:《印人轶事》,杭州:浙江美术学院出版社,1992。

叶一苇:《中国篆刻史》,杭州:西泠印社出版社,2000。

黄裳:《笔祸史谈丛》,北京出版社,2004。

孙洵:《民国篆刻艺术》,南京:江苏美术出版社,1996。

庄新兴编著:《战国玺印》,上海书画出版社,2003。

辛尘:《历代篆刻风格赏评》,杭州:中国美术学院出版社,1999。

刘正成主编:《中国书法鉴赏大辞典》,北京:大地出版社,1989。

杨中良:《中国篆刻创作解读·流派印卷》,郑州:河南美术出版社,2001。

王家新主编:《邓石如书法篆刻全集》,天津人民美术出版社,2005。

中国书法家协会安徽分会主编:《邓石如丛刊》(第1、2辑),合肥:中国书法家协会安徽分会,1983,1985。

孙慰祖:《邓石如篆刻》,上海书店出版社,2001。

戴山青编:《黄牧甫篆刻作品集》,南宁:广西美术出版社,2000。

穆孝天主编:《中国书法全集·邓石如卷》,北京:荣宝斋出版社,1995。

吴春梅:《乡土观念文化与文化认同——从徽文化谈起》,载许怡主编《弘扬优秀传统文化,密切海内外同胞关系理论研讨会论文集》,北京:中国致公出版社,2006。

翟屯建:《从徽州艺术特点看中国传统艺术的发展方向——评〈徽州文化全书〉艺术类卷》,载《徽学丛刊》总第5期,合肥:安徽省徽学学会,2005。

杜迺松:《全国铜器鉴定所见金文考察》,《新华文摘》,2002(4)。

刘正成:《书法形象审美特征刍议》,载《全国第四届书法讲座会论文集》,重庆出版社,1993。

陈振濂:《篆刻美学导论》,《文艺研究》,1987(1)。

李刚田:《关于篆刻学的思考》,载《孤山证印——西泠印社国际印学峰会论文集》,杭州:西泠印社出版社,2005。

马国权:《黄牧甫和他的篆刻艺术——〈黄牧甫印谱代序〉》,载《黄牧甫印存》,杭州:西泠印社出版社,1982。

跋

《明清徽皖篆刻简论》

中国印章源于实用，印文由文字组成，文字的演进、书法的多样性和艺术性，对印章由实用转为艺术、形成流派产生了极为重要的影响。作为一名篆刻家，首先必须是一位书法家。对篆刻理论有研究，把握住当代篆刻艺术的倾向，对艺术创作无疑将会提供极大的帮助，其成就也就难以预料。难就难在既是书法家、篆刻家，又能从事艺术理论研究的人并不多。

铜陵阮君良之，号瀚斋，别署三四堂主，就是一位兼具书法、篆刻与理论研究于一身的书法家、篆刻家和篆刻艺术理论家。阮君原本是印刷厂的一名刻字工，30 年前起步自学书法篆刻。他起早摸晚，临帖习碑，动刀镌刻，到处拜师求教，凭着这股决心和毅力，终于渐有成就。1986 年，在全国首届电视书法比赛中一炮打响，获得二等奖。次年，又获得海内外中青年书画金杯大奖赛篆刻金杯奖。此后，一发而不可收，其篆刻作品先后入选中国书法家协会主办的多次展览。但阮君认为，篆刻不仅仅是一门艺术，同时也是一门学问，只有不断提高自己的学识水平和道德修养，才能使自己的篆刻水平得到提高。他学习六书，通晓篆法，辨析古玺，认识隶变，研究流派，以书入印，不拘于印内求印，还把目光投向印章以外的各个方面知识的积累，养成具有高度审美能力的眼光，推动篆刻艺术的发展。

不久前，阮君拿来他的篆刻艺术理论研究专著《明清徽皖篆刻简论》(以下简称《简论》)，请我提意见。初读后，对阮君的篆刻艺术水平有了更深刻的认识。这本专著，不仅仅是一本研究篆刻理论之作，更体现了其本人的创作心路历程，论古涉今，对当代篆刻艺术的创作实践具有指导意义。

《简论》对明清徽皖印坛"雪渔"、"泗水"、"娄东"、"歙"、"邓(皖)"、"黟山(粤)"六大流派以及印坛大家朱简、程邃、邓石如、黄士陵进行了深入的研究，注重阐述他们在篆法、章法和刀法上的"创新"成果，对六大流派的印风特色进行了深刻精辟的剖析。阮君的视野极为开阔，他从六大流派产生的地域文化与篆刻艺术的关系入手，探讨了文书档案与书画艺术对"篆法"、徽州雕刻工艺对篆刻"刀法"、徽州诸艺术对篆刻"章法"、徽皖文化理念对篆刻家价值观以及社会诸因素对篆刻艺术的影响。阮君是一位书法家、篆刻家，对于书法与篆刻的关系有着深刻的体会和长期的实践，谈起来得心应手，往往有自己独到的见解，是我辈所不及的。例如我们在谈到朱简的篆法时，总是说他取赵宧光的草篆入印，别开生面。而阮君对朱简的篆刻理论和篆刻作品加以分析，认为朱简只是取赵宧光"草篆"之意，而非取赵宧光"草篆"之形。朱简是按照他自己提倡的"便用"准则，灵活运用古玺汉印至元明各种篆法，并在篆刻过程中实践"笔意表现论"，是个性篆书在篆刻实践中的体现。在谈到黄士陵时，阮君指出："黄氏用腕力指挥控制其刀，心通腕，腕通指，指通刀，黄氏刻刀，刀刃较薄，他下刀极竖，行刀爽利。涩疾在手，留畅随心，令人仿佛已闻其嘎嘎独造，心手双畅的刻石之声。在不经意的经意中，他刀下的线条或由窄趋宽，或由宽而窄，线头或方截，或锐利，再加之线条角度的细微变化，结构空间的松紧配置，不加以修饰，不主张残破，刀过印现，归于浩挺。"只有本身能动刀镌刻的人才能写得如此深入其境。

对程邃“参合铭文与大小篆入印”的篆法新举，阮君指出青铜器造型与金文风格的演变存在着审美上的内在一致性，随着祭祀器、盛食器、兵器、铜镜、玺印等器物造型的变化，作为附着物的文字的风格也自然而然地多姿多彩。尤其是古玺文字篆法的丰富多彩、章法的参差错落，造就了古玺艺术开放自由、跌宕多姿的时代特征和古拙雄奇、博大灵变的艺术风格。程邃也正是汲取了青铜铭文自由灵变的特性，不拘一格，大小篆兼用。同时其刀法多用涩刀，恣肆豪放，风格苍茫，影响深远。

谈到邓石如印风对写意印风的启示时，《简论》提出了中国篆刻史是一部写意与工稳风格相互转换为主导印风的发展史，并认为写意印风是时代审美意趣的体现，充满了活力。邓石如在理念与实践方面的创新，对写意印风的发展有着重要的启示。对此我也有同感。突出个性，强调创新，是每一位篆刻家孜孜不倦追求的目标。中国篆刻史上每一位大家的出现，每一个流派的形成，无一不是突出个性，强调创新的结果。说实话，我对写意印风的看法比较保守，像阮君这样能够从理论上阐述清楚写意印风源流及其艺术特征和技法的人极少，加上不肯吃苦，想走捷径，大多流入歧途。一些写意印风的鼓吹者甚至提出，篆刻是视觉艺术，强调篆刻的美术化，注重形式上的效果，甚至要淡化文字。这是很不妥当的。书法以“字”为基础，篆刻也是有篆有刻，才构成这门艺术的本体，而淡化“篆”的功能，甚至取消文字在篆刻艺术中的地位，其实就是抹杀了篆刻艺术本身。他们所创造出来的那种无字的“篆刻”，其实已经不是篆刻，也不应该称之为“篆刻”，而应该是其他一种什么艺术形式。阮君对写意印风有很深的研究，他本人的篆刻作品也极具写意神韵，以自己独具特色的书法入印，字形适度夸张、变形以增强视觉效果，做到了先入篆，然后出篆，达到出神入化的境地。这才是写意印风的正途。

《简论》在揭示隶书的精神内蕴时，认为隶意与篆刻艺术存在着紧密的血脉关联，隶书的形式变化影响着篆刻艺术的发展。汉印的主导印风为工稳印风，与隶意“古朴雅正”的审美意蕴一脉相通。明清时期，行草笔意大量融入隶书，使隶书在方正、平稳、厚重的同时，更加灵活、飞动与率意，呈现出千姿百态的形式，成就了一大批隶书大家。同时，这些隶书大家以书入印，形成了明清隶书大家与篆刻名家“双栖”的独特现象。黄士陵取法金文、泉币、镜铭、权量、诏版、汉铭、砖文、摩崖、石刻、碑版等各种文字，但其印学精髓是将隶意融入印中，融会贯通，大大丰富了其作品的形式和意趣。

我们知道，金文与隶书一直是篆刻艺术取之不尽的源泉，对篆刻的影响极为深远。徽皖篆刻极为重视对金文和隶书营养的汲取。休宁胡正言以钟鼎铭文入印；歙县程邃以其深厚的金石文字功底将大小篆合用；黟县黄士陵所处的晚清时期更是上古器物和金石文字大量出土、金石学非常昌盛的时代，他对三代金文的研究是很深的，其印艺中体现出来的金文气息也最浓；怀宁邓石如的书法篆隶相融，号称“国朝第一”，并以书入印。

阮君也是一位以书入印的篆刻家，他的书法作品，篆书线条浑厚圆转，用笔稍重，古拙苍茫，同时又有一种开放自由、跌宕多姿的灵动与变化。隶书线条节奏极具动感，挥洒飘逸，将帛书与汉简融入一体，全无人工雕琢之痕。金文律动和隶书变革所蕴含的审美理念，在这些作品中得到了完美的体现。难能可贵的是，阮君以书入印，并将“创新”理念在篆刻作品中发挥到很高水平。其中一些代表性的作品，如“阮良之之玺”、“天下为公”、“铜官”、“西海”等，极具笔意，“交厚道人”、“中国江南文化园”、“岁寒三友”更是将沉稳雄浑与灵动活泼两种不同的风格不动声色地糅合在一起。这些都不是一朝一夕能够做到的，也不是不动脑子，光练字动刀就能达到的。读了这本书我终于明白，阮君30年来是如何在书法与篆刻艺术的历史长河中，辛勤跋涉，直融古玺精神，把握隶变脉络，学习名家风格，探求写意精髓的。可以说，书中的每一章，都是他篆刻艺术创作实践的心得体会和理论升华。《简论》提炼出来的明清徽皖篆刻的主线是创新理念，阮君的篆刻艺术实践也是在不断的创新，诚如他所说："六大家皆是首先在篆刻理念上有所出新，而后在技法上表现出来，再后以理念与技法立派。"我也期待着阮君能够循着这条路，走出特色，成为大家。

翟屯建

2009年8月17日于黄山无我斋

后记

明清徽皖印坛波澜迭起，一派生机，构成了中国篆刻史上的一种“奇观”。随着对这种“奇观”中诸因素的日渐关注，我便有了粗略梳理明清徽皖篆刻艺术史的想法，加上我对铜文化、徽文化与印艺关联的思考及对古玺、隶意、写意印风等等的探究，便构成了本书的基本思路与框架。

在本书撰写出版过程中，安徽大学副校长、博导吴春梅教授倾力支持并赐《序》。著名徽学专家、黄山市史志办副主任翟屯建研究员对本书的宏观思路提出了极富启迪性的建议并赐《跋》。本书责任编辑、安徽大学出版社谈菁副编审以她新颖的理念与务实的工作，使拙书大增其色。安徽大学徽学研究中心胡长春教授提出的审稿意见谨严入微，令我受益匪浅。同时，还有铜陵市各位领导与诤友的肝胆相照；致公党省、市委会，省文史馆，省、市书协，市史志办，市文物局，市图书馆以及杨屹先生、徐强先生、乔东球先生、方茂鸿先生、周全峰先生、王亚洲先生及涂道亮、童领峰、黄庆枝诸书友等方方面面的关心支持，他们真正视学术为公器，励我艺苑勤耕。

探讨艺术理论是为了明晰正确的艺术理念，然后再用来指导艺术实践。因一直以来我的重点是书印创作方面，因而在撰写过程中对于艺坛先贤艺术之“思”之“为”，即他们的“想法”与“做法”，我还是很在心的。溯古论今是为了古为今用。现仅择要谈两点思考：一是对于包括篆刻在内的艺术，我简略梳理出“三层次论”，认为技术层面出作品；艺术层面可提炼出精品；至学术层面方可渐臻经典。我还探究提出艺家应以学术之“新”理念铸艺术之“独”风格的“新、独”观，认为若能知此一“新”一“独”，大器在望耳！具此一“新”一“独”，大器铸成耳！持此以验书中诸先贤大家，皆然。因而我认为，艺之大道在“正变”，其源为“博、厚”，其径为“新、独”，其果为“经典”。二是我在查阅史料时，发现六大流派之外的其他明清徽皖籍（特别是皖籍）篆刻家往往是有名份而无印存，其历史与艺术价值由此而大打折扣，令人惋叹不已！这就启示着当代艺家要用心为后来者保留好珍贵的第一手资料，以利于后人有“据”而“传”。由此我联想到一个人的价值主要是“做”与“传”二字，人在活着时“做”的有价值，身后才有“传”下去启迪后人的可能……

书中关于六大流派称谓及排列的六大流派篆刻家简表等等皆为初步探索，抛砖意在引玉。限于本人水平，对于书中存在的不足之处，恳祈专家学者不吝赐教，以励我不断学习、进步。

在本书即将付梓之际，请允许我再致谢意：感谢在我自学的三十年历程中，故土铜文化予以我的滋养、父老乡亲对我的教诲及故乡中国江南文化园金玉铜“铜官”大印予以我的灵感；感谢各位师友、领导、同事、家人对我的支持及一切关心着我的人们！

最后仅录自作词《水龙吟・奋斗颂》一首以明心迹：“五千年史煌煌，沧桑递进连今往。辱刑著史，刖残论战，智星绝唱。进咏大风，退尝苦胆，人杰跌宕。撼鬼神天地，泱泱华夏，炎黄脉，腾龙象。创业又名磨难，看雄才，颂风歌浪。且安小利，酒红灯绿，令人惋叹。致力为公，挫千奋万，丈夫肝胆。绘神州画卷，东方红日，喷薄而上。”

阮良之

2009 年 8 月 18 日于铜都三四堂